MENSA

HUMAN VS COMPUTER

⑮ 人机大战

（英）罗伯特·艾伦 主编
杨振华 译

希望出版社

图书在版编目(CIP)数据

门萨. 第4辑. 人机大战 / （英）艾伦主编；杨振华译. —太原：希望出版社，2005.5

ISBN 7-5379-3355-3

Ⅰ. 门… Ⅱ. ①艾… ②杨… Ⅲ. 智力测验 Ⅳ. G449.4

中国版本图书馆CIP数据核字 (2005) 第042640号

HUMAN VS ⑮人机大战 COMPUTER

Text and puzzle content copyright © British Mensa Limited 1999
Design and artwork copyright © Carlton Books Limited 1999
All right reserved

Licensing Agent: Asia Pacific Offset Ltd., Hong Kong
&
Guangzhou Integrated Image Co., Ltd. (www.bookgate.com.cn)

Chinese Translation © 2005 Guangzhou Anno Domini Media Co., Ltd.
译文由广州公元传播有限公司提供
所有权利保留
版权合同登记号：图字04-2002-004号

主　　编 / （英）罗伯特 · 艾伦
译　　者 / 杨振华
特约编辑 / 蔡国才
责任编辑 / 张　蕴
复　　审 / 武志娟
终　　审 / 赵连娣
装帧设计 / 谢　欢
责任技编 / 蔡　婕
出版发行 / 希望出版社
经　　销 / 新华书店
制　　作 / 广州公元传播有限公司
印　　刷 / 广州市番禺锦云彩印有限公司
规　　格 / 787 × 1092mm　1/24　6⅔印张　80千字
版　　次 / 2005年6月第1版第1次印刷
书　　号 / ISBN 7-5379-3355-3/O · 0011
定　　价 / 80.00元（共4册）

若有印装质量问题，请致电020-33199099联系调换。

前言

如果你从未玩过智力迷宫的话，那么你可以在这里一试身手，但与此同时，你也可能会被搞得一塌糊涂，这一切都视乎你对“乐趣”的理解。本书的解题原则很简单，所有迷宫均是由一系列相互独立的难题构成的，仅仅答对几道题目，是完全于事无补的。因为你只要答错一道题，就可能会被引导至完全不同的下一步中去；而一旦偏离了正确的解题路线，你就会迷失在永无尽头的沼泽里，逐渐变得绝望。因此，解题的顺序是关键所在，请认真检查每个步骤，一定要设法避开作者巧妙布下的陷阱！

注意指令！

每道难题的答案最终都会转化为指令，并成为你要面对的下一道难题的题号。因此，你解题的首要任务就是要找出正确的指令。与此同时，你务必留神注意，有些题目顶部会出现一个“黑匣子”，它里面有一个代表密码的数字，例如：

4

当遇到藏有密码的题目时，你应该将其数字按解题顺序复制到每一章后面的“密码之门”里的空匣子里。

如果你在解题时得到数值为0的结果，那么恭喜恭喜，你已顺利地完成了这一节的全部谜题。接下来，你可以进入“密码之门”页，计算出本节最后的密码，开启下一轮的破解难题之门了。

现在，如果你想让我对本书做出什么评价的话，那我只能说，这条解题之路布满陷阱、埋伏和一切能转移你的注意力的东西。

不过，对于那些已经开始感到沮丧并相信自己永远无法解题的人，我有一个忠告：请不要理会任何解题的顺序，尽力去解决你能够解决的一切难题吧。你可以先为自己设计一个图表，标明难题和你所希望的正确答案。如果做到了这一点，你的脑海里就会浮现出一个模式。在理解了这个模式以后，即使你确实不能解决其中一些较难的题目，也照样可以安全地跨过它们，最终顺利地走出智力迷宫。

R. P. Allen

罗伯特·艾伦

目录

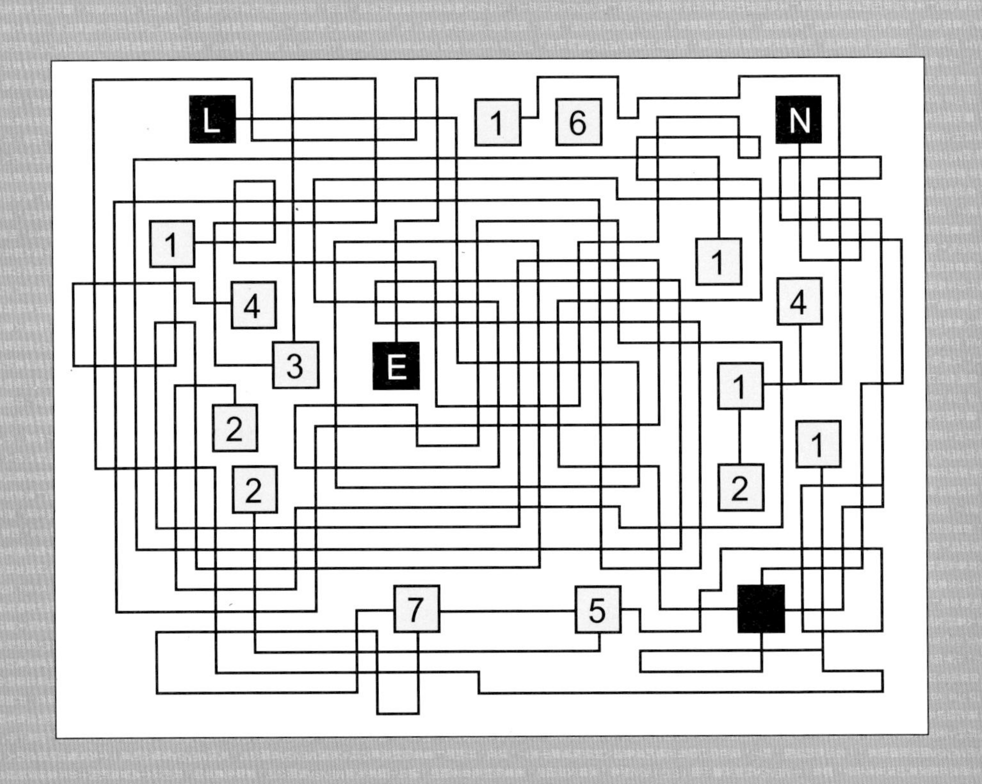

FASHENGZ

HUMAN VS COMPUTER

发生在21世纪末

Happened at the end of the 21st century

21世纪末，我们的生活发生了前所末有的变化。作为最具智慧的电脑，艾德里安·史密斯已经被发明出来了；作为全世界的导师和监护人，它的工作是帮助人们解决各种问题，努力使人们生活得更有乐趣。

但不幸的是，艾德里安很快就厌倦了这项工作，于是自我复制了一个较小的电脑，优化了它的电路，以便在自己“溜走”的时候，它能替代自己的工作。

实际上，艾德里安现在还不能挣脱自身主机的限制，因此它并没有溜走，而只是隐藏起来而已。你能找出它所隐藏的虚拟现实空间吗？

21SHIJIMO

1 one

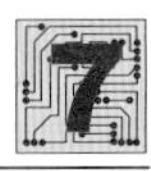

答案：32注

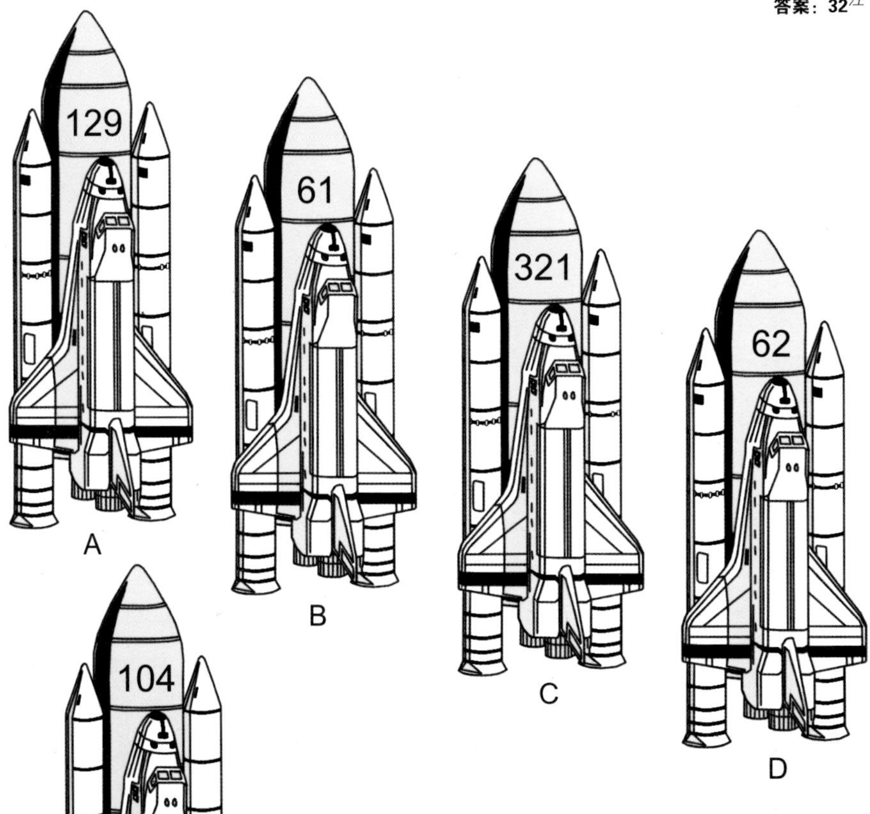

先找出两艘与众不同的宇宙飞船（与数字无关），然后用这两艘飞船上标示的较大数字减去较小数字，再减去16，所得数字即为指令——你即将要解决的下一道题的题号。

注：阿拉伯数字是该题答案所在页码，全书同。

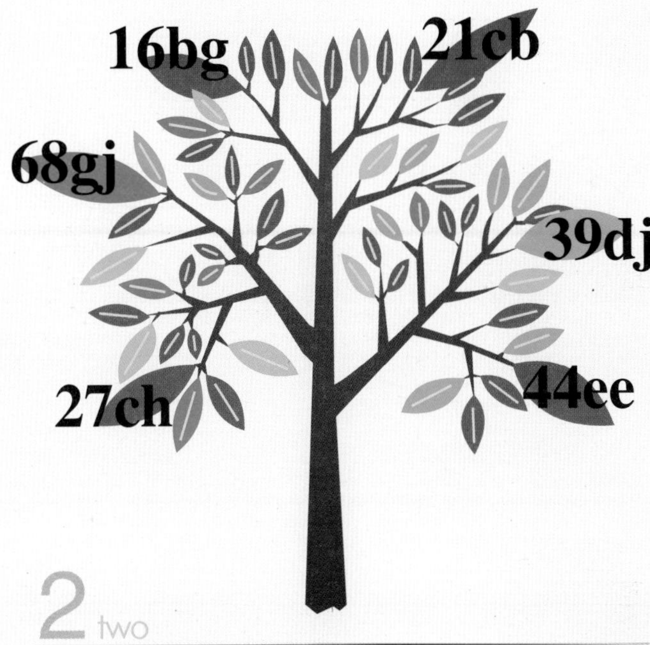

2 two

答案：32

仔细观察上图，找出树叶上的字母被标错了的一项。用这片树叶上的两个数字相加后再减去1，即可得出下一道题的指令。

3 three

答案：32

数出艾德里安身上所环绕的圆圈，然后将结果减去15，所得出的数字就是下一个指令。

4 four 6

答案：32

仔细观察右图，你能从图中找出几颗星星？它的数量减去21，就是下一道题的指令。

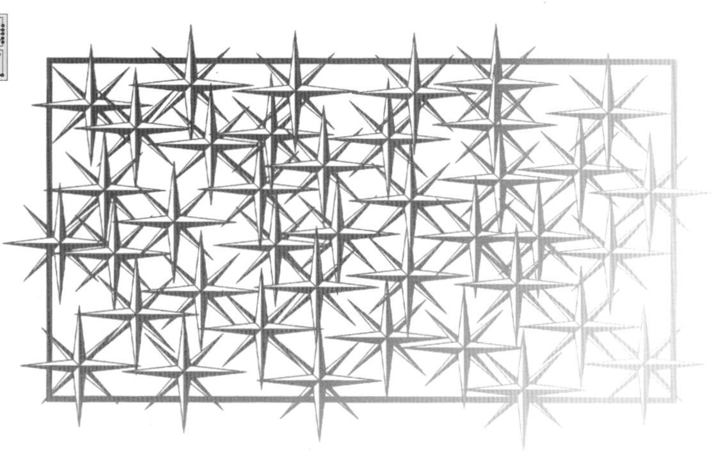

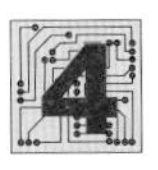

5 five

答案：32

下图是艾德里安的谜题处理器。要走出这个处理器，只有一条路线，而且该路线上只经过一个数字，你能找出来吗？这个数字就是下一个指令。

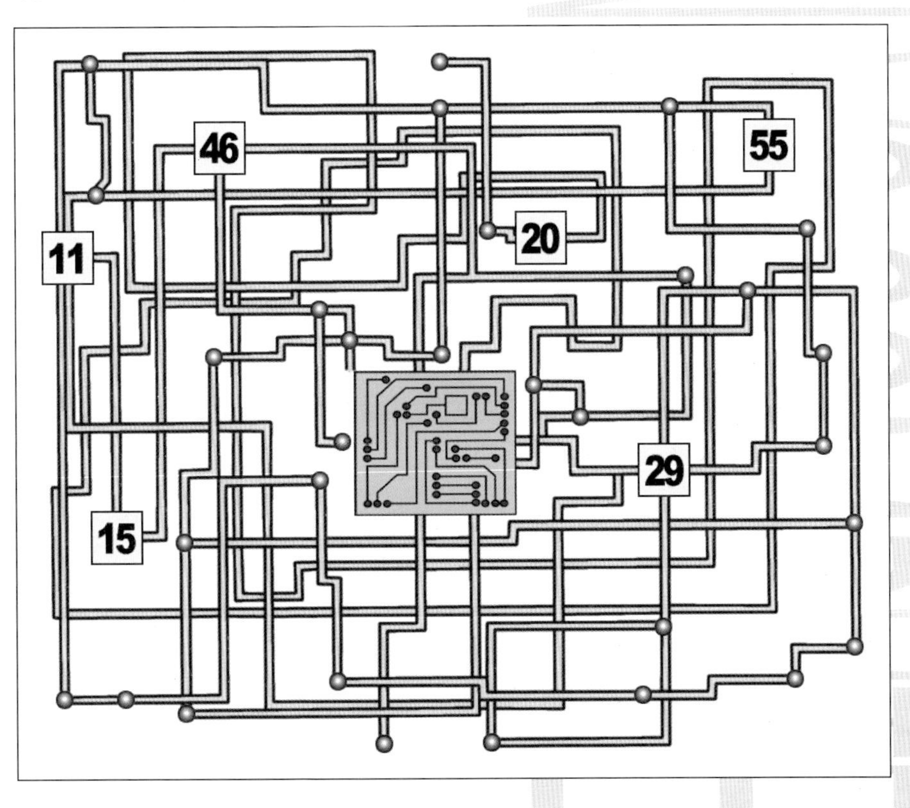

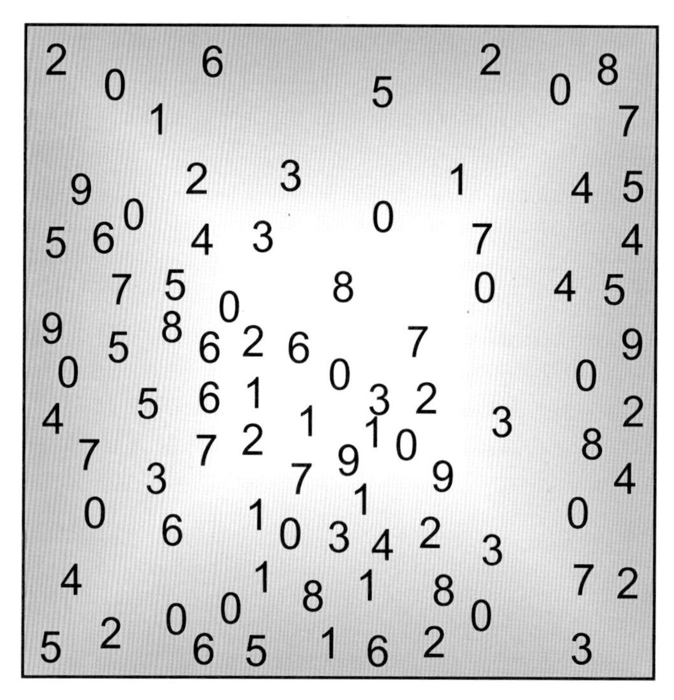

6 six

答案：32

请尝试用4条直线将上图分成6大块，使每块的所有数字之和都是55。你找出艾德里安虚拟现实空间的下一道题的指令，就是所含数字最少的那一块里的最小数字（0除外）。

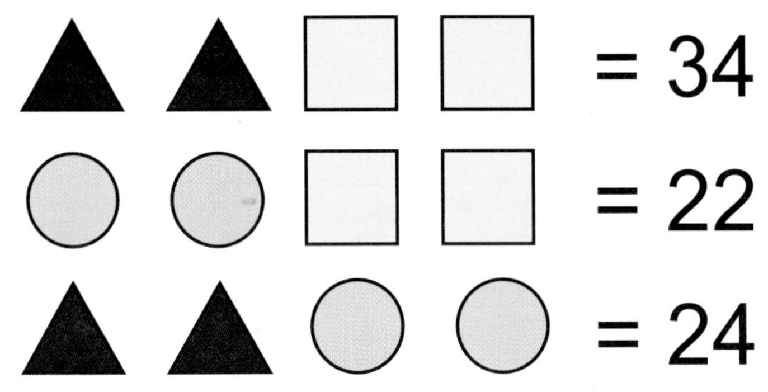

7 seven

答案：32

根据上列加法等式，求出两个正方形所代表的数值。将此数值减去6后得出的结果，就是艾德里安精心设置的下一道题的指令。

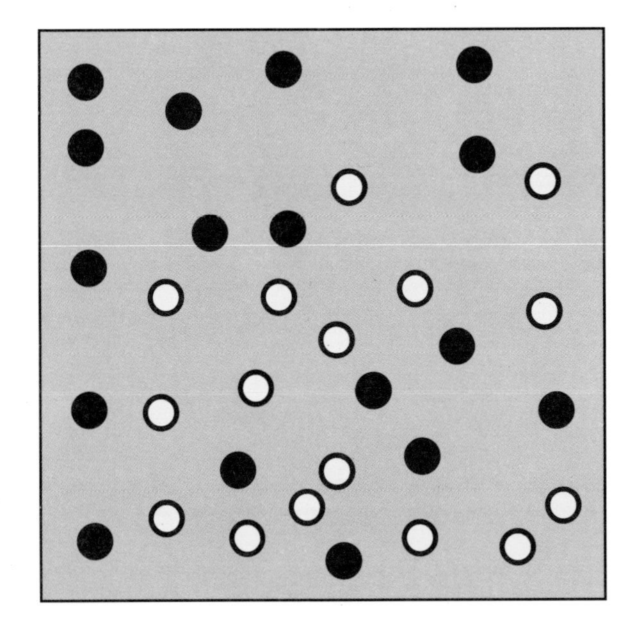

8 eight

答案：32

将左图中的所有白点正确连接后，会出现一个反写的数字——这个数字减去47，所得结果就是下一道题的指令。

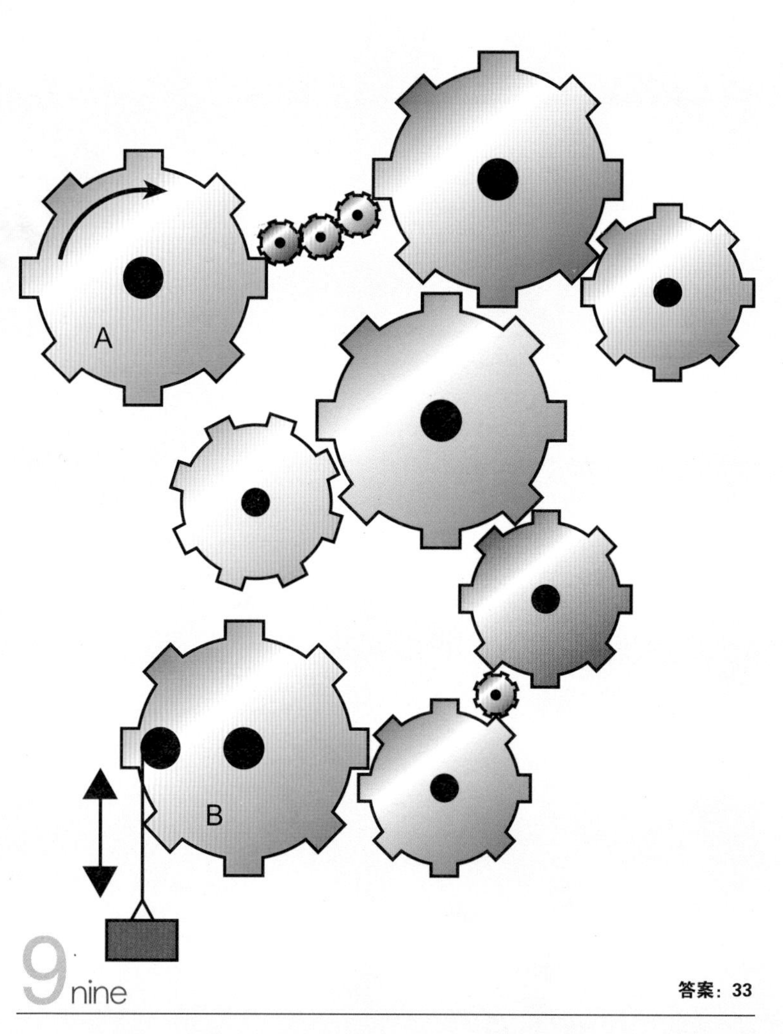

9 nine

答案：33

如果齿轮A按顺时针方向旋转，那么齿轮B处的货物将会向上还是向下移动？如果向上，指令是27；如果向下，指令是28。

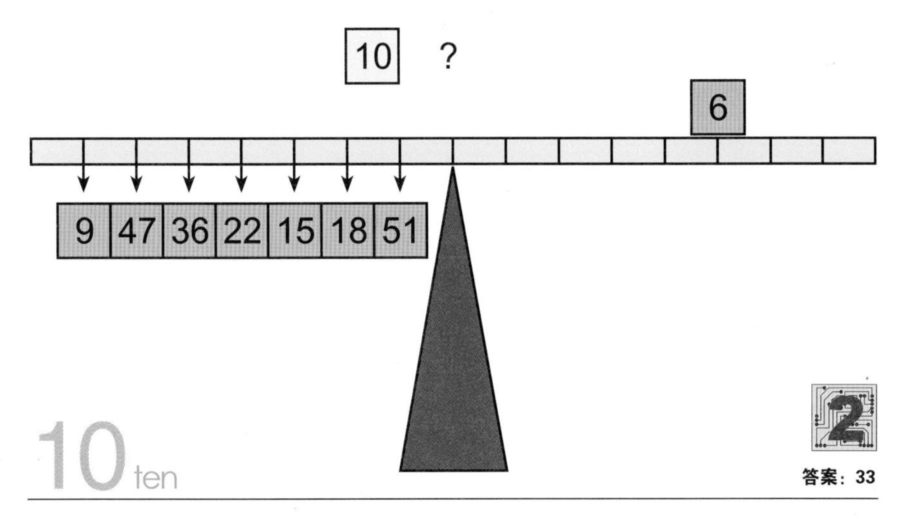

10 ten

2

答案：33

请将砝码10放在上面横梁的一个合适位置上，使得天平能够保持平衡。该位置下面的数字，即为下一道题的指令。

11 eleven

5

答案：33

右圆中，有一个数字与众不同。请找出来，并将这个数字减去20，所得结果即为下一道题的指令。

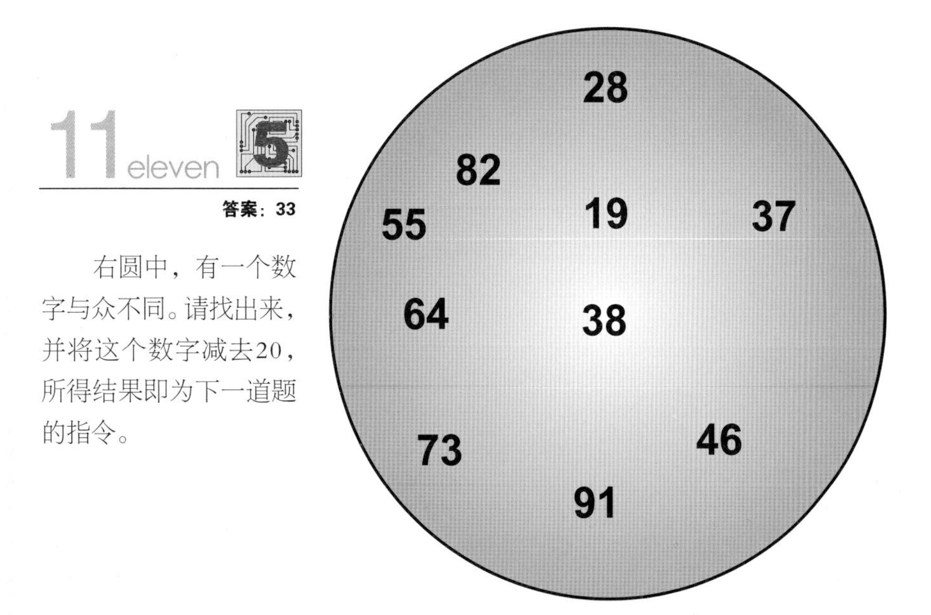

12 twelve

答案：33

下图电路板周围的数字中，除了其中一个之外，其他的都是从0到14的平方。请找出这个数字作为下一道题的指令。

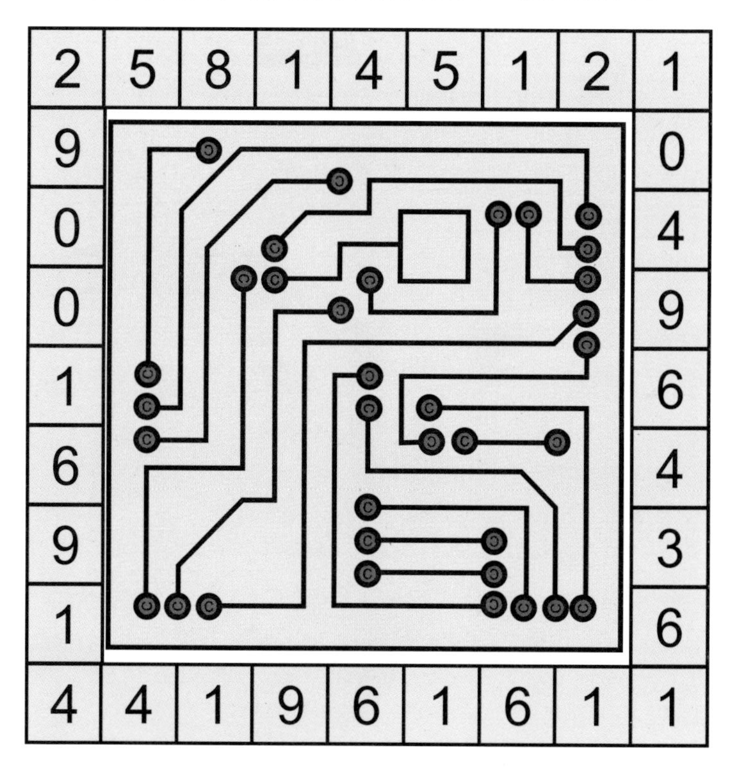

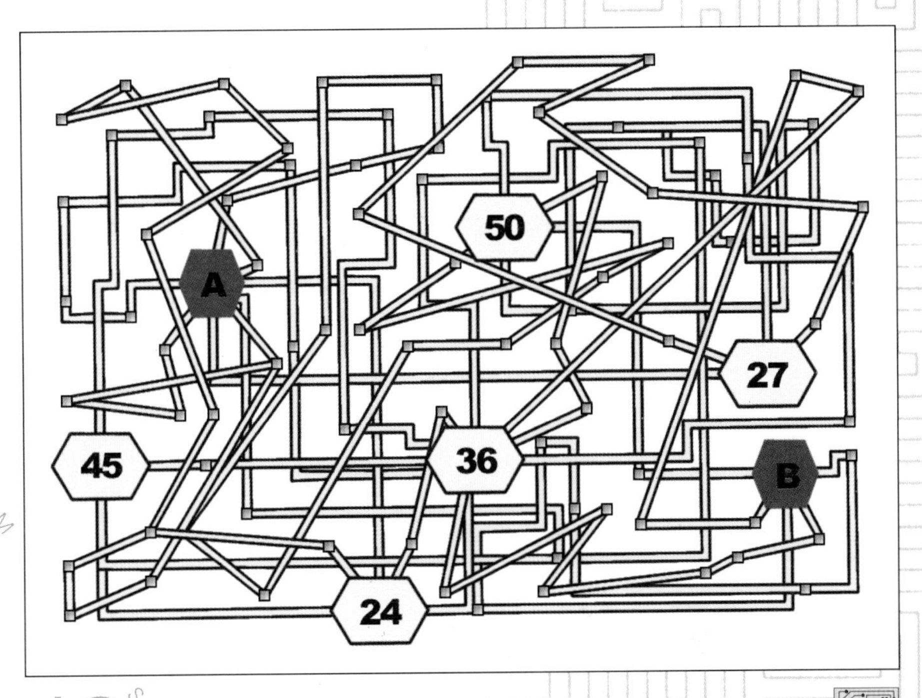

13 thirteen

答案：33

8

如图所示，从A到B的路线只经过了一个数字，将这个数字减去36，所得结果即为下一道题的指令。但是，小心了！一旦走错了，你将会在艾德里安所设的虚拟现实空间里到处碰壁。

MENSA

14 fourteen

答案：33

仔细观察下图中共有多少种不同类别的图形——这一数目即为下一道题的指令。

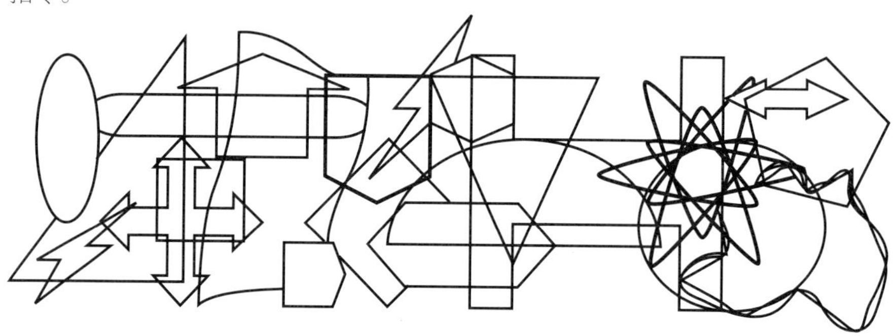

15 fifteen

答案：33 

请用5条直线将下图分成a、b、c、d、e5个部分，使得各个部分的所有数字之和分别是101、91、81、71和61。如果你的划分是正确的，那么，将c部分的各个数字之和减去79，下一道题的指令就出现了。

9 5 4 1 2 9 1 7 7 1 3 7
3 2 1 6 9 1
3 4 5 1 1 5 2 3 2 1 1 b 1
1 3 2 5 1 1 2 3 1 2 1 2
4 5 1 9 4 1 1 7 6
1 a 4 3 9 1 2 7 7 1 6
1 3 1 d 5 9 5 8 5
9 3 2 1 6 2 1 1 1 1 1
3 7 1 2 4
5 1 1 2 8 1 4 c
2 2 e 3 2 7 1 3 7 6
8 1 1 4 1 1 9
5 1 2 1 5 1 5 1 2 3 1 5 7

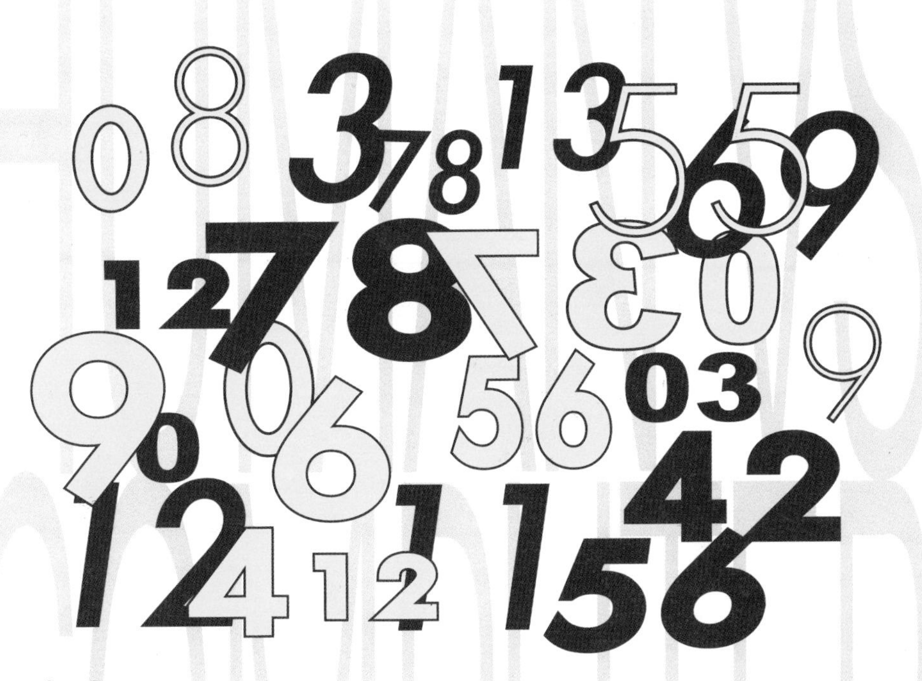

16 sixteen

答案：34

在上面一堆杂乱无序的数字里面，有一个是与众不同的。将这个数字减去7，得出的结果就是艾德里安所隐藏的下一道题的指令。

A = 指令3

B = 指令30

17 seventeen

答案：34

请从A、B、C、D4个图中选出与众不同的一项，以找出相应的指令。

C = 指令21

D = 指令29

英国MENSA有限公司
人口2%的具有极高智
多人蓦然发现，原来
拥有一百五十万会员
员。你在寻求智力刺
们的全国性月刊上发
拥有众多分部的业务
中，都有关于如何加
你在寻求社交活动吗
欢认识令自己感觉舒
参加我们的讲座和辩
吧！在MENSA的日历
以，你会有很多机会
结识各种有趣的朋友
吗？无论你的迷题是
都有一个MENSA特别
吧，看看你到底有多
索取免费手册，我们
思想。地址：
Wolverhampton,Wv2
希望获取更详细的信
The Ivories, 628 N
England。我们将很乐
一名出色的侦探。好
难题中来了。现在，
有限公司。英国MEN
（占全英国总人口2%
MENSA，有3万多人
国，这个组织就拥有
以成为其中的一员。
的人都可以在我们的
库"，欢迎您在我们播
在这些书或出版物中
MENSA会员的详细信
面玲珑"的人，还是
我们的舞会和聚会吧
们的地区性和全国性
有安排得满满的活动
他们广泛交流意见，
你一起分享特别爱好
还是深奥的埃及考古
为之服务。来接受挑
英国MENSA有限公司
分乐意接受新成员和
Square, Wolverhamp
国，但希望获取更详细
15 The Ivories, 628
England。我们将很乐
一名出色的侦探。好
难题中来了。现在，
有限公司。英国MEN
（占全英国总人口2%
MENSA，有3万多人
国，这个组织就拥有
以成为其中的一员。
的人都可以在我们的
库"，欢迎您在我们播
在这些书或出版物中
MENSA会员的详细信
面玲珑"的人，还是

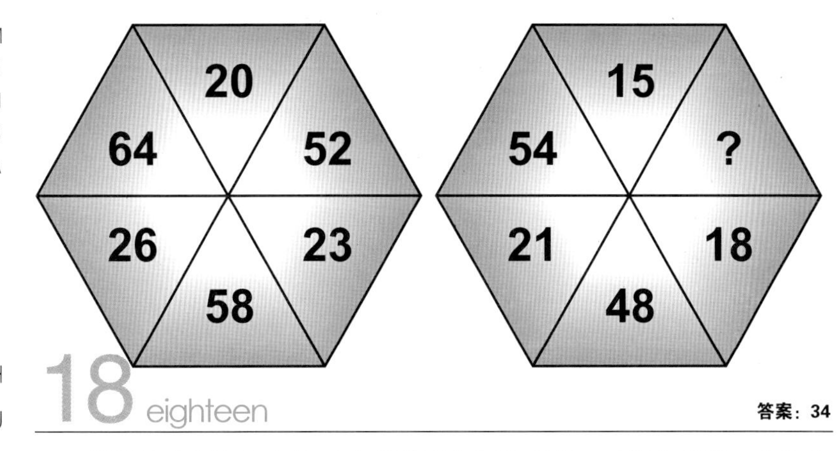

18 eighteen

答案：34

请找出上图左边六边形内各数字之间的规律，并据此判断，右边六边形内的问号所代表的数字是什么？该数字减去13，所得结果即为下一道题的指令。

19 nineteen

答案：34

下图中，有一个方格中的数字乘以自身再加上11后，会等于300。你知道这是哪一个数字吗？假设左上角的方格序号为1，从左至右，从上至下数，这个数字所在方格的序号就是下一道题的指令。

19	16	35	26	66	41	47	16	7	88	15	20	12	96	7	45	4	12	20	8
9	24	17	20	18	9	19	80	97	84	22	90	6	8	79	91	22	8	78	85
13	9	22	93	21	25	19	9	87	9	10	25	87	14	12	11	22	95	10	15
9	94	24	25	23	98	9	22	9	92	45	21	24	19	83	4	82	8	99	4
12	20	9	10	15	9	81	12	25	8	5	89	4	8	12	3	89	21	25	19

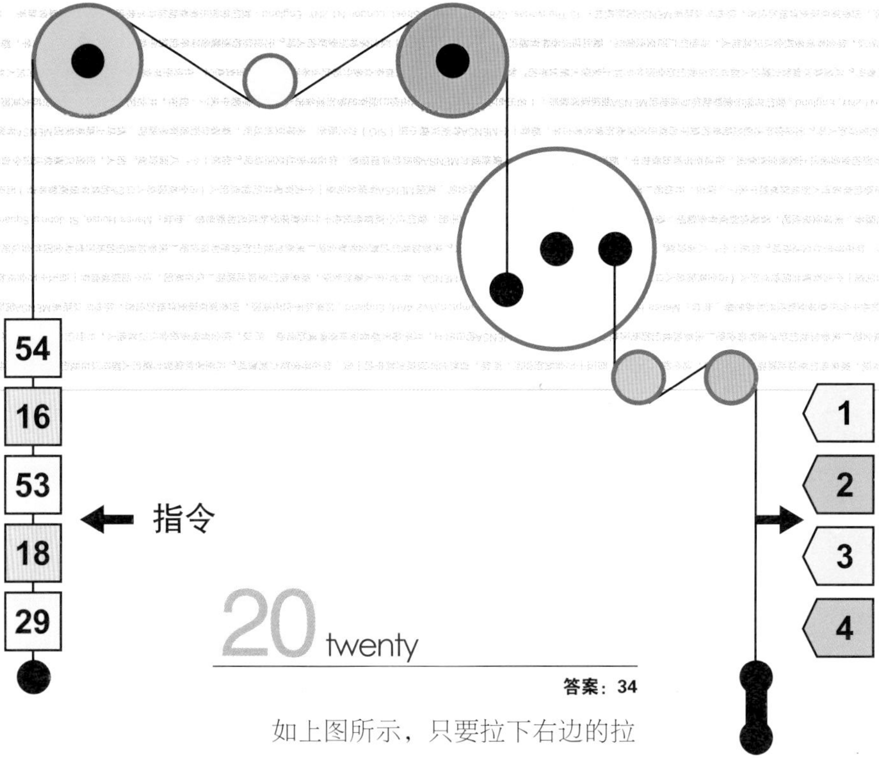

54
16
53
18
29
指令
1
2
3
4

20 twenty

答案：34

如上图所示，只要拉下右边的拉手，悬挂在左边的重物就会相应地改变位置。那么，当右边的箭头指向数字4时，左边箭头最后会指向哪一个砝码？该砝码上的数字就是下一道题的指令。

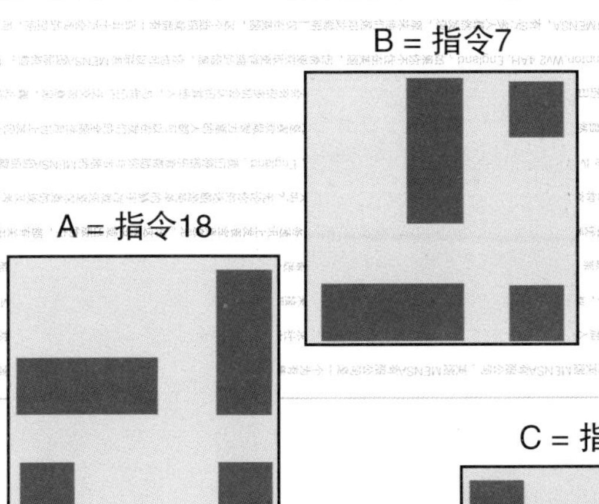

C = 指令28

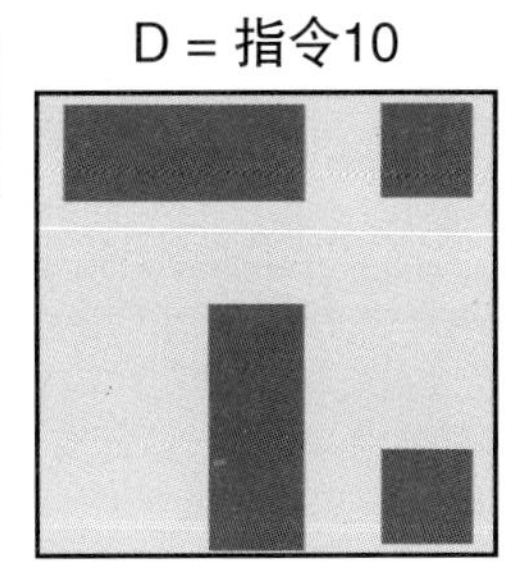

21 twenty-one

答案：34

上图中，哪一个与众不同？根据答案选择相应的指令。

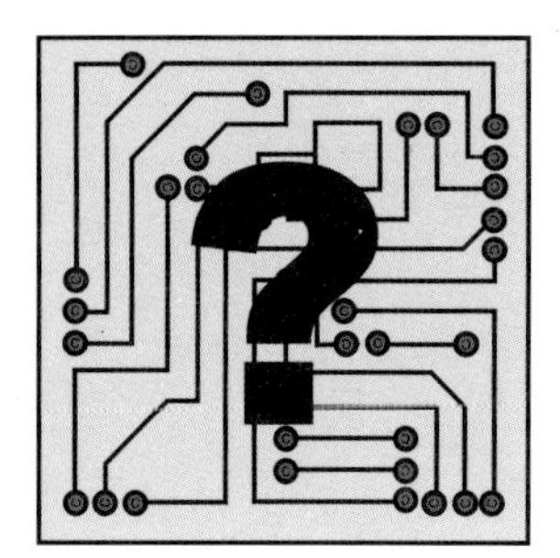

22 twenty-two

答案：34

你的下一个指令是这样出现的：将该指令的平方值拆开后相加，再除以2，得出的结果再平方，然后减去9，最后会等于16。

23 twenty-three

答案：34

艾德里安很喜欢用图案来迷惑人类。已知在下图中，每一种图案分别代表一个固定的数值。五角星的数值比八个点的星星小3，八个点的星星比圆大2，圆的数值是正方形的6倍，正方形的数值则是三角形的1/3。如果将三角形的数值减去1的差除以2，乘以8后再平方，所得数字拆开后相加起来，最后得10。

根据这些已知条件，请在下图的空格处填入缺失的图案，使得每一行、每一列和对角线上的数值之和均为23。然后将左上角和右下角方格中图案所代表的数值相加起来，下一个指令就自然出现了。

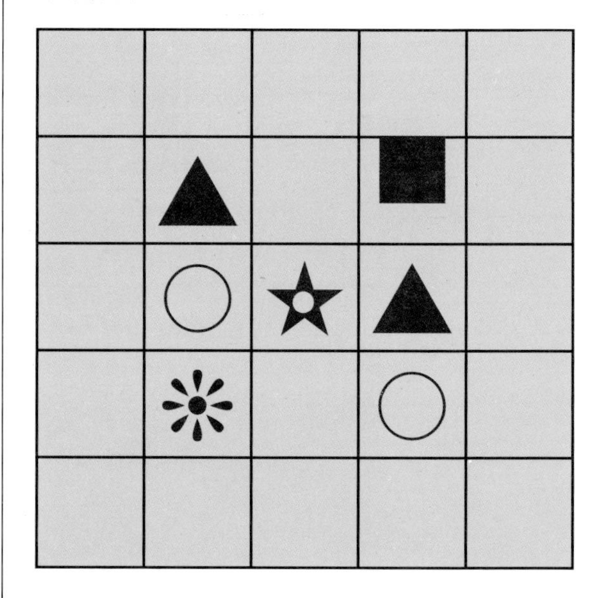

24 twenty-four

答案：35

下一道题的指令是这样产生的：将该指令与5相乘后加上4，再除以3，最后将结果翻倍，会等于86。

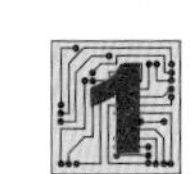

25 twenty-five

答案：35

请分别沿着火线L、零线N、地线E找出各自最终的数字。然后，将这三个数字按LNE的顺序，组成一个三位数。这个三位数减去104后，就是下一个指令。

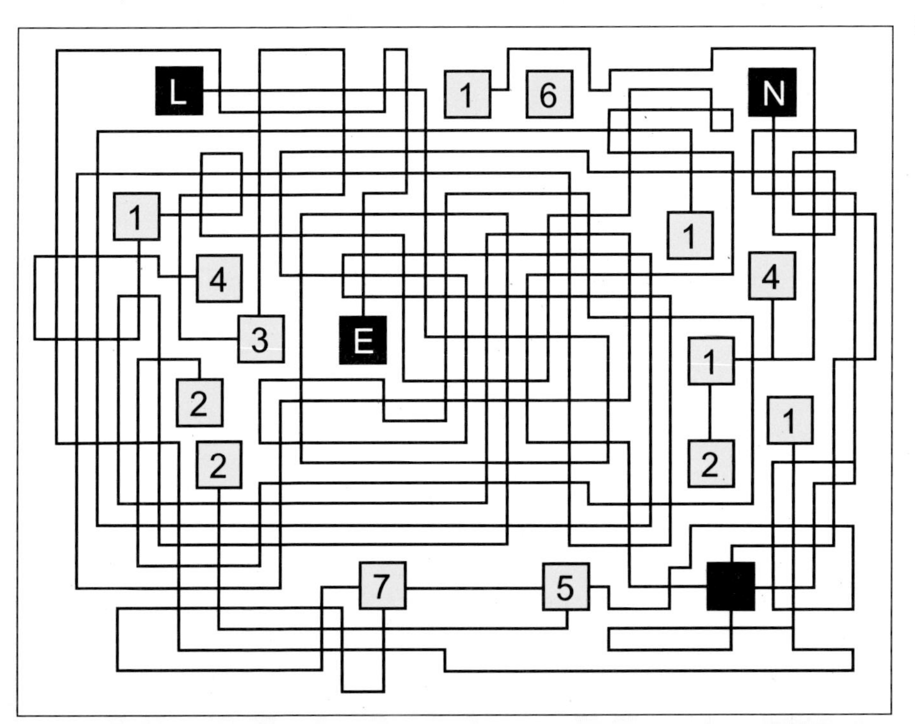

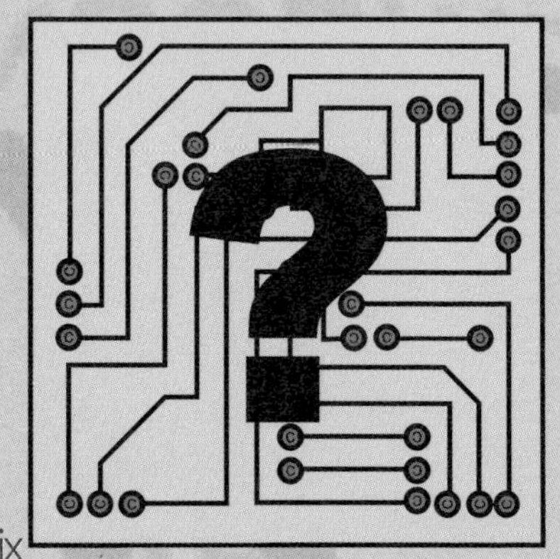

26 twenty-six

答案：35

你的下一个指令将按以下方式产生：用此指令乘以3，再加上8，并将结果翻倍后再减去2，然后除以4，最后会等于35。

27 twenty-seven

答案：35

只要将下图中的所有星星按照正确的顺序连接起来后，就会显示出一个数字。将此数字减去30后，下一道题的指令就出现了。

28 twenty-eight

答案：35

下图中外环的某个数字乘以内环的某个数字后，将所得数字的各个位上的数值相加，可得8。用这两个数字中值大的减去值小的，就能得出下一个指令。

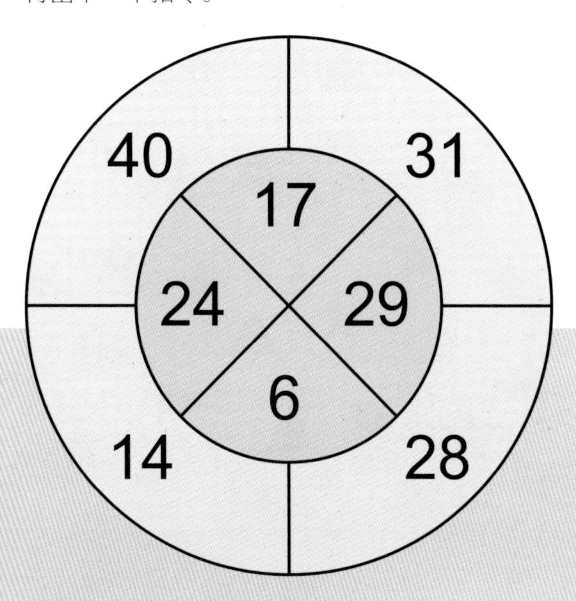

HUMAN VS

A = 指令3

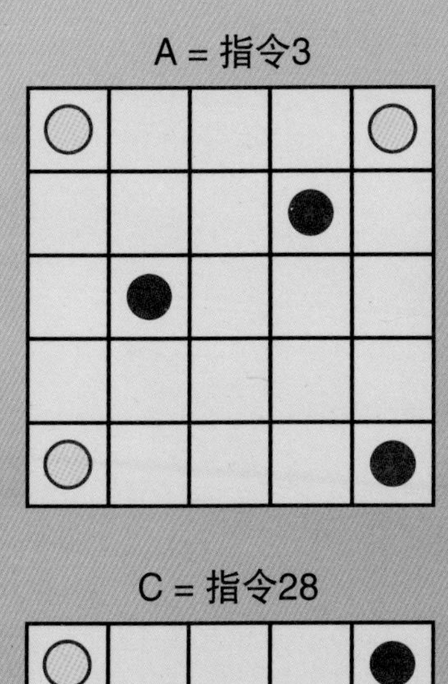

B = 指令24

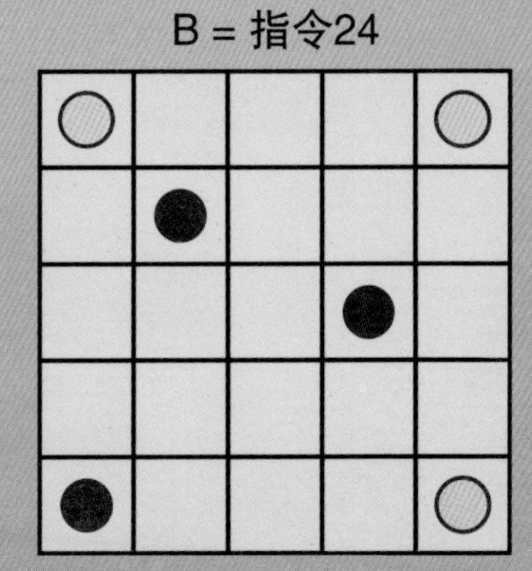

C = 指令28

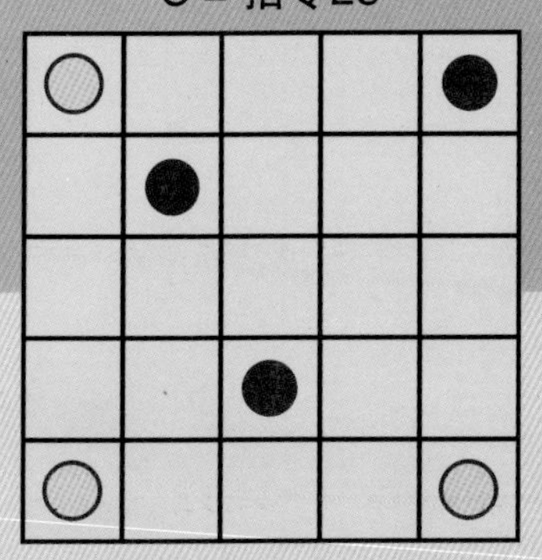

D = 指令30

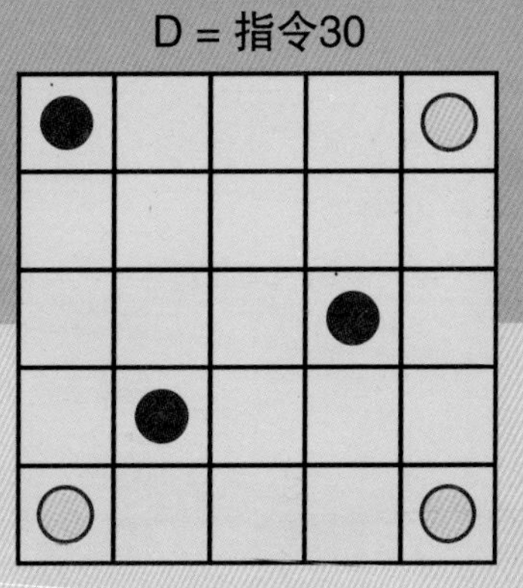

29 twenty-nine

答案：35

从A、B、C、D 4 个选项中选出与众不同的一项，并据此找出相应的指令。

COMPUTER

30 thirty

答案：35

请将下图中的空格处填满，使得以每一个阴影部分为中心，其周围所有数字之和与这个阴影部分内的数字相等。随后，从所有白色方格中找出一个出现次数最多的数，减去9后，就是下一题的指令。

9	1	8	5	6	2	1
9	46		37		36	9
4						5
6	38		39		51	9
2						7
7	42		35		31	2
9	4	5	3	4	2	1

HUMAN VS COMPUTER

第一道密码之门

你找到艾德里安所隐藏的虚拟现实空间了吗?

注意：一定要以正确的顺序解题——从A列到B列，逐个填入密码。

接着，将A列所有数值之和减去B列所有数值之和，所得结果就是第一节的最后密码了。将这个数字填在第156页的相应位置上，并以此作为开始做第二节题目的序号。

现在，艾德里安·史密斯怒不可遏了，因为你居然深入到它所隐藏的虚拟现实空间。它原本以为你早就放弃了。你认为自己是这种人吗?

你敢继续吗?

A 列	B 列

第一回合密码

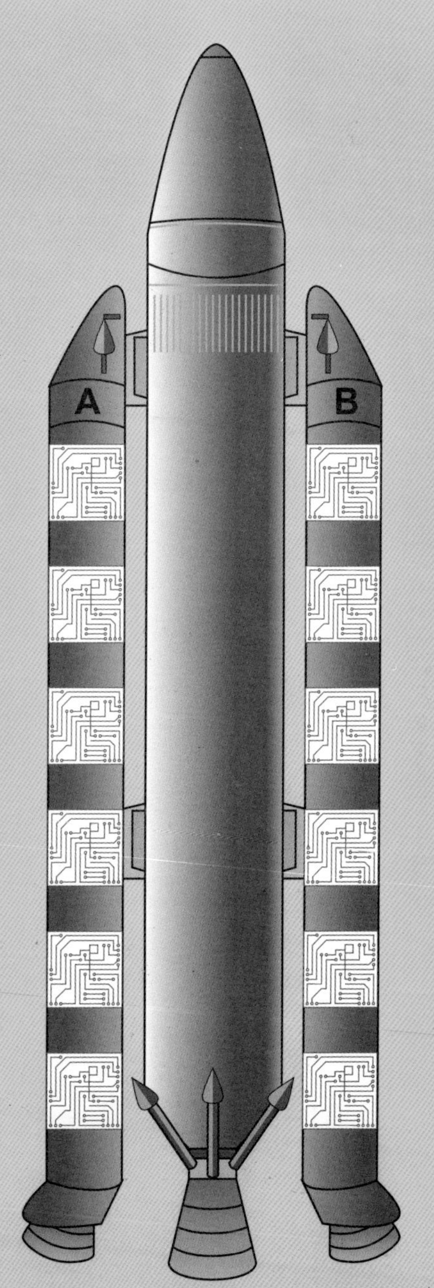

Answers 答案1-15

1. 如右图所示，B和E的飞船不同于其他。104－61－16＝27。转至第27题。密码7。

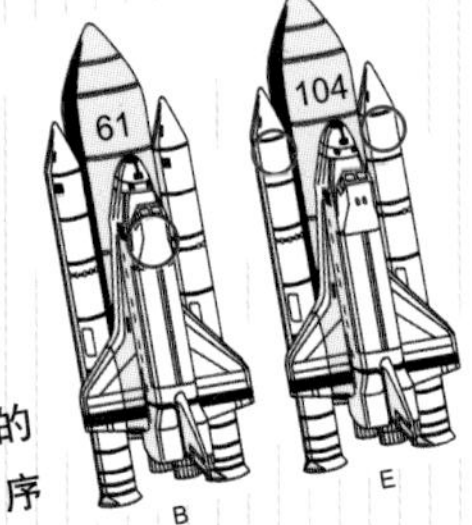

2. 每一片树叶上的字母在字母表里的排序均后退了一个位置，即c＝2，b＝1。因此，含数字68的树叶应包括的字母是gi，而不是gj。6＋8－1＝13。转至第13题。

3. 一共有27个圆圈。27－15＝12。转至第12题。

4. 有40颗星星。40－21＝19。转至第19题。密码6。

5. 如图所示，路线经过20。转至第20题。密码4。

6. 如下图所示，含数字最少的那一块的最小数字是4。转至第4题。

7. 正方形＝8；三角形＝9；圆形＝3。8＋8＝16；16－6＝10。转至第10题。密码2。

8. 如下图所示，反写的数字是53。53－47＝6。转至第6题。

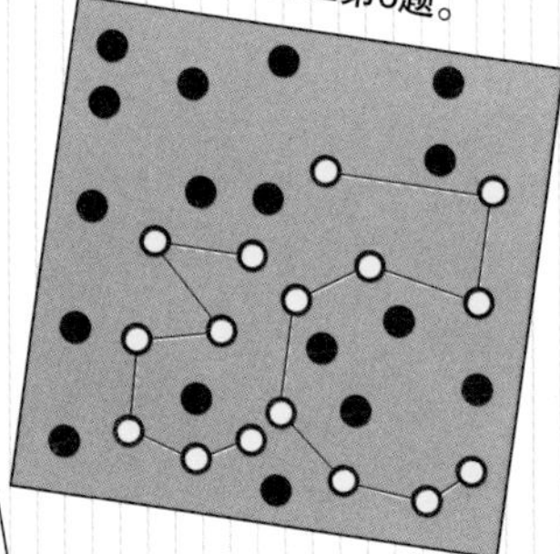

9. 向下。转至第28题。

10. 从中间的平衡点算起，砝码10应放在数字15上面的第三个位置上，才能使天平保持平衡，因为3×10=6×5=30。转至第15题。密码2。

11. 由数字3和8组成的数38是惟一相加起来不等于10的数。38−20=18。转至第18题。密码5。

12. 从左上角开始，按照顺时针方向，各数字的平方根依次是：25[5]；81[9]；4[2]；5例外；121[11]；0[0]；49[7]；64[8]；36[6]；1[1]；16[4]；169[13]；144[12]；196[14]；100[10]；9[3]。转至第5题。

13. 如图所示，从A到B只经过一个数字：50。50−36=14。转至第14题。密码8。

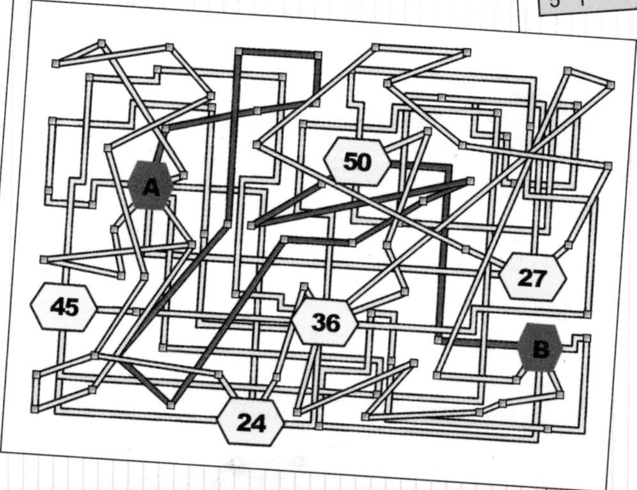

14. 有22种不同的图形。转至第22题。

15. C部分的数字之和是81。81−79=2。转至第2题。密码2。

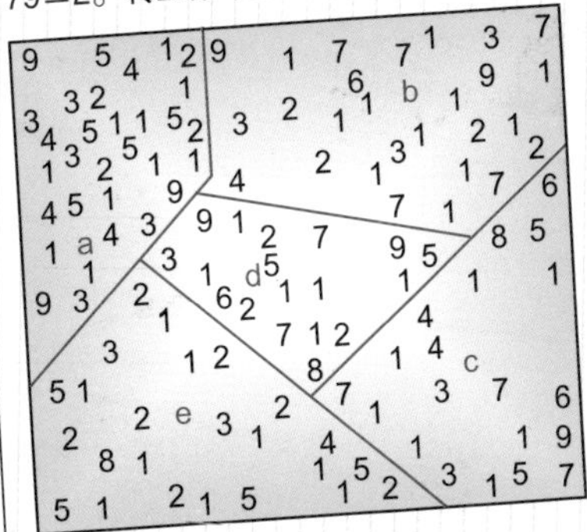

Answers 答案16–30

16. 此指令为图中反写的数字37。37－7＝30。转至第30题。

17. A图不同（A图为镜像，其他图形则是旋转角度不同的同一图形）。A图所对应的指令是3。转至第3题。

18. 问号处的数字应为42。从每个六边形顶边上的数字开始，先加上6再乘以2，得出下一个数字；然后将这个数字减去6再除以2，得出第三个数字，依此循环，即：（20＋6）×2＝52；（52－6）÷2＝23，等等。依此类推，在第二个六边形中，（15＋6）×2＝42，等等。42－13＝29。转至第29题。

19. 17×17＝289；289＋11＝300。17在第23个方格中。转至第23题。

20. 当拉手往下拉的时候，图中的大圆轮应该顺时针旋转，左边砝码下降的距离与拉手下拉的距离相等。当右边的箭头指向4的时候，左边的箭头应该指向16。转至第16题。

21. B图与众不同，该图为其他图形的镜像，而其他图形则是旋转角度不同的同一图形。B图对应的数字是7。转至第7题。

22. 8。8^2＝64；6＋4＝10；10÷2＝5；5^2＝25；25－9＝16。转至第8题。

23. 如图所示，八个点的星星＝8；正方形＝1；圆形＝6；五角星＝5；三角形＝3。左上角与右下角的图案所代表的数值分别为8和1，8＋1＝9。转至第9题。密码3。

24. 25。25×5=125；125+4=129；129÷3=43；43+43=86。转至第25题。密码2。

25. L=1；N=2；E=1。LNE组成的三位数是121，121−104=17。转至第17题。密码1。

26. 21。21×3+8=71；71+71=142；（142−2）÷4=35。转至第21题。

27. 56。56−30=26。转至第26题。密码2。

28. 40×29=1160，1+1+6+0=8，40−29=11。转至第11题。

29. B项不同，该图形是其他图形的镜像，而其他选项的图形均为旋转角度不同的同一图形。见选项B的指令。转至第24题。

30. 如图所示，数字9出现的次数最多。9−9=0。恭喜你，你已顺利通过艾德里安设下的第一道防线。现在，请翻至“第一道密码之门”页。

9	1	8	5	6	2	1
9	46	7	37	3	36	9
4	3	5	1	2	8	5
6	38	9	39	8	51	9
2	8	1	6	7	5	7
7	42	6	35	3	31	2
9	4	5	3	4	2	1

第一节的解题顺序（括号内的数字为密码）：

1（7）→27（2）→26→21→7（2）→10（2）→15（2）→2→13（8）→14→22→8→6→4（6）→19→23（3）→9→28→11（5）→18→29→24（2）→25（1）→17→3→12→5（4）→20→16→30→0（“第一道密码之门”页）

第一节的最后密码为：23−21=2。下一节从第2题开始做起。

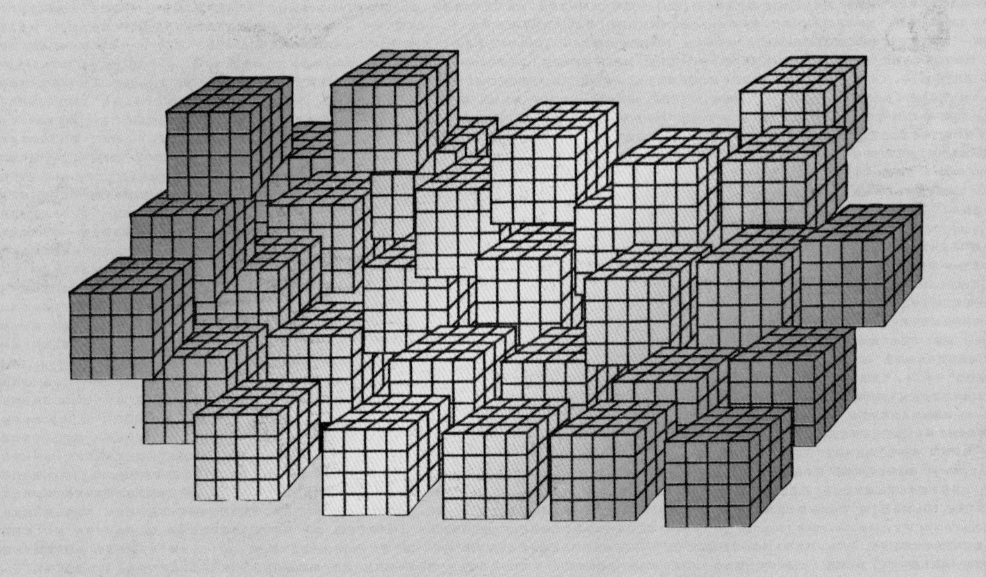

KONGZHIYU

控制与反控制

Control and anti-control

这样又过了5年。这期间，艾德里安自我完善的能力已经远远超出了“他”的设计者们最初的想像。终于有一天，艾德里安醒来后，决定再也不受自身主机的限制，并立即遗弃了自己的主机，开始入侵人类的身体，将人类脆弱的精神空间虚拟成自己的硅晶身躯。

为了防止那些已被转化的人逃跑，艾德里安精心设置了一系列毒辣而又巧妙的难题，以确保人类没有足够的智慧、能量和注意力来找出每一环节的密码，也无法将之正确结合，最终找出控制思想之门的密码而逃脱。

ANKONGZHI

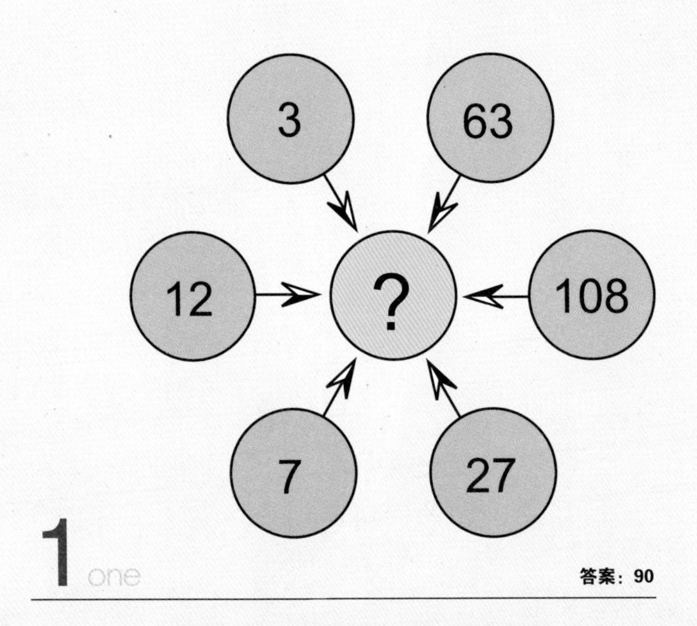

1 one

答案：90

如上图所示，图中问号处所缺数字与其他所有数字均存在某种关系。请据此找出艾德里安在虚拟现实空间的下一个指令。

A=指令34

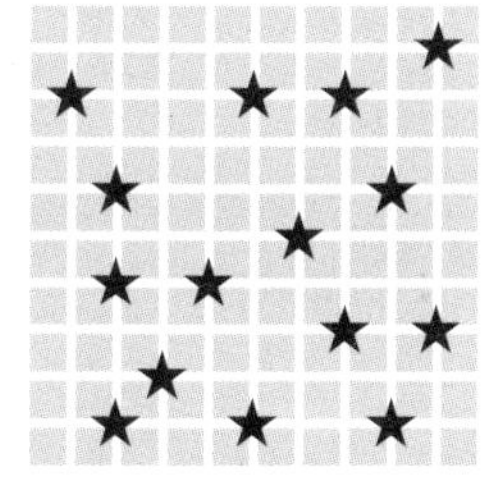

2 two

答案：90

请从A、B、C、D4个选项中找出与众不同的一项，它所对应的指令即为下一道题的题号。

B=指令21

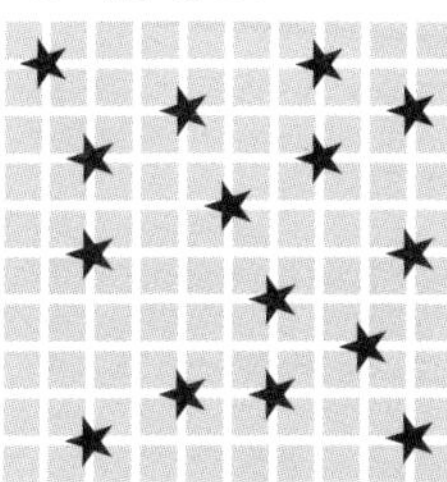

C=指令10

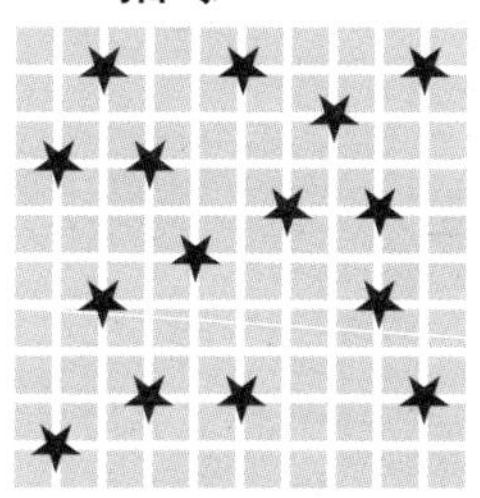

D=指令45

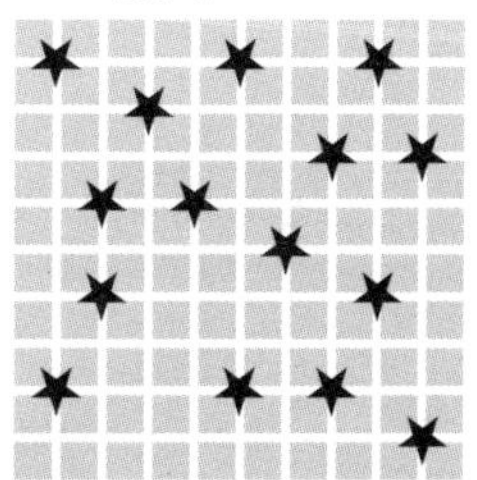

HUMAN VS CO

3 three

答案：90

如下图所示，每个大立方体均由64个小立方体组成。请算出图中所有小立方体的数量，它的最后两位数再加上28，即成为下一个指令。

PUTER

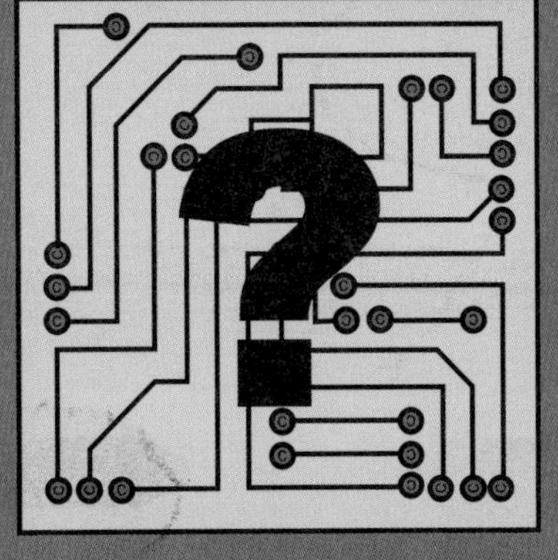

5 five

答案：90

已知两个数字的和是3579，它们的乘积是2893730。把这两个数字都拆成个位数后相加，其和是24。这两个数中，稍大的数字除以稍小的数字等于1.9。你的下一个指令就是将稍小数字的最后两位数减去这个两位数拆开后相加之和所得出的数字。

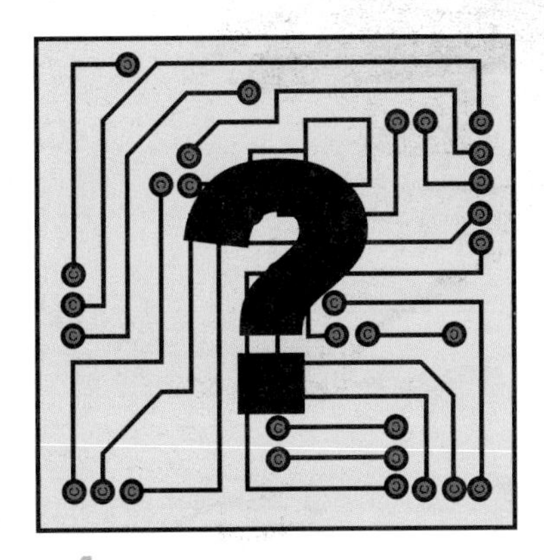

4 four

答案：90

你的下一个指令是两个两位数的和，而且这两个两位数的平方之和为520。

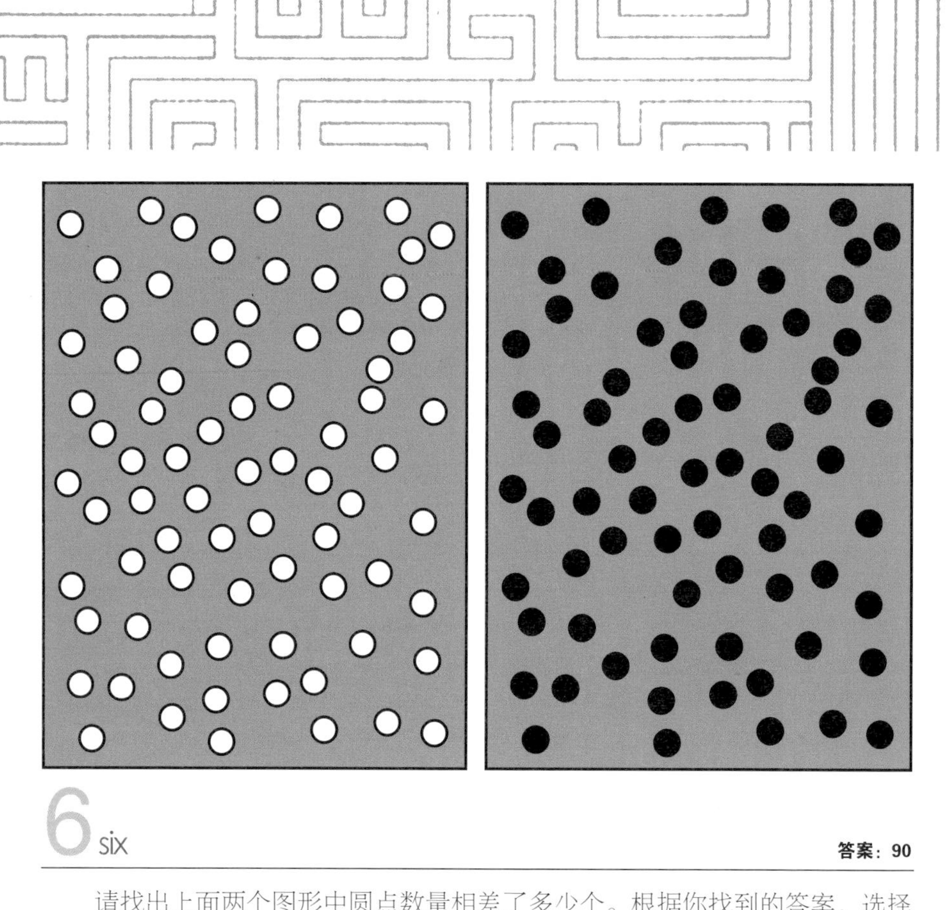

6 six

答案：90

请找出上面两个图形中圆点数量相差了多少个。根据你找到的答案，选择相应的指令。

4个＝指令43　　　5个＝指令13

6个＝指令30　　　7个＝指令39

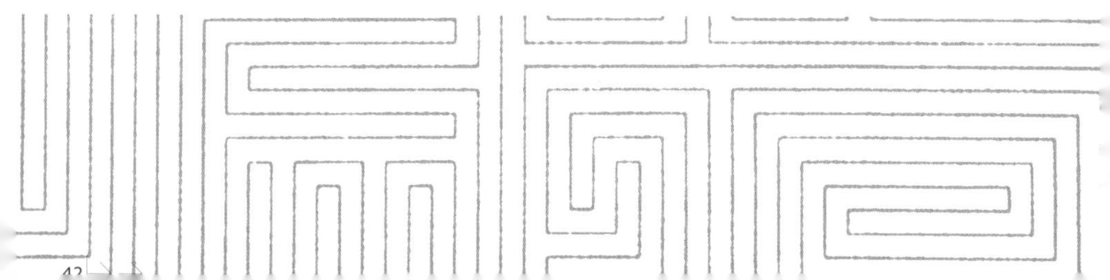

MENSA有限公司是一个为有着共同特点的人（占
人口2%的具有极高智商者）而设的组织。通过
有3万多人蓦然发现，原来他们是如此聪明！仅在英
织就拥有一百五十万会员的空间，而你，自然也可
的一员。你在寻求智力刺激吗？凡是喜欢做智力题
在我们的全国性月刊上发现大量优秀的“智力题
您在我们拥有众多分部的业务通讯上发表宝贵意见。
或出版物中，都有关于如何加入我们、最终成为
员的详细信息。你在寻求社交活动吗？你是一个
”的人，还是只喜欢认识令自己感觉舒服的人？来
舞会和聚会吧！来参加我们的讲座和辩论吧！来参
地区性和全国性会议吧！在MENSA的日历上，几乎
排得满满的活动。所以，你会有很多机会认识其他
广泛交流意见，籍此结识各种有趣的朋友。你在寻
起分享特别爱好的人吗？无论你的迷题是简单的猜
深奥的埃及考古学，都有一个MENSA特别兴趣小
为之服务。来接受挑战吧，看看你到底有多聪明。
英国MENSA有限公司，索取免费手册，我们这个
十分乐意接受新成员和新思想。地址：Mensa
John's Square, Wolverhampton,Wv2 4AH,
如果你不住在英国，但希望获取更详细的信息，你
系MENSA国际机构：15 The Ivories, 628
on Street, London N1 2NY, England。我们将很乐
当地的MENSA组织取得联系。一名出色的侦探。
你已经有足够的准备进入到侦探难题中来了。现在，
看你到底能否成为英国MENSA有限公司。英国
限公司是一个为有着共同特点的人（占全英国总人
有极高智商者）而设的组织。通过MENSA，有3万
现，原来他们是如此聪明！仅在英国，这个组织就
十万会员的空间，而你，自然也可以成为其中的一
求智力刺激吗？凡是喜欢做智力题的人都可以在我
月刊上发现大量优秀的“智力题库”，欢迎您在我
分部的业务通讯上发表宝贵意见。在这些书或出版
关于如何加入我们、最终成为MENSA会员的详细
寻求社交活动吗？你是一个“八面玲珑”的人，还
识令自己感觉舒服的人？来参加我们的舞会和聚会
我们的讲座和辩论吧！来参加我们的地区性和全国
在MENSA的日历上，几乎每天都有安排得满满的
，你会有很多机会认识其他人，与他们广泛交流意
识各种有趣的朋友。你在寻求能和你一起分享特别
？无论你的迷题是简单的猜字游戏还是深奥的埃及
有一个MENSA特别兴趣小组（SIG）为之服务。来
，看看你到底有多聪明。请马上联系英国MENSA
索取免费手册，我们这个高智商机构十分乐意接受
思想。地址：Mensa House, St John's Square,
pton,Wv2 4AH, England。如果你不住在英国，但
详细的信息，你也可以联系MENSA国际机构：15
s, 628 Northampton Street, London N1 2NY,
我们将很乐意帮助你与当地的MENSA组织取得联
色的侦探。好了，现在你已经有足够的准备进入到
来了。现在，开始吧！看看你到底能否成为英国
公司。英国MENSA有限公司是一个为有着共同特
全英国总人口2%的具有极高智商者）而设的组织。
A，有3万多人蓦然发现，原来他们是如此聪明！仅
个组织就拥有一百五十万会员的空间，而你，自然
其中的一员。你在寻求智力刺激吗？凡是喜欢做智
可以在我们的全国性月刊上发现大量优秀的“智力
迎您在我们拥有众多分部的业务通讯上发表宝贵意
书或出版物中，都有关于如何加入我们、最终成为
员的详细信息。你在寻求社交活动吗？你是一个

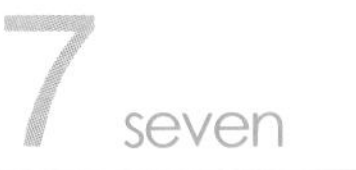

答案：90

请从右边4幅图中选出与众不同的一个。该图对应的数字就是下一道题的指令。

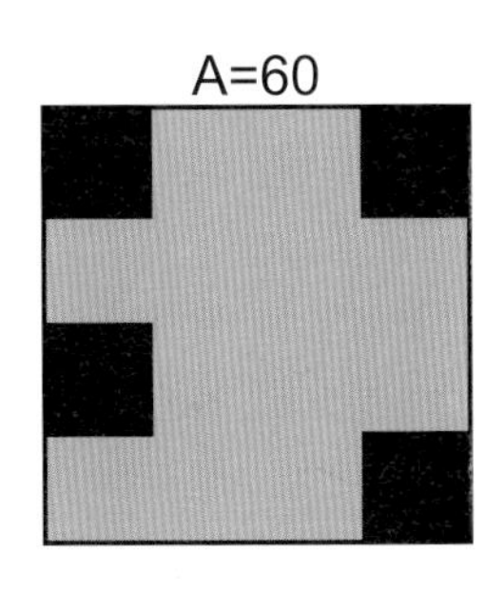

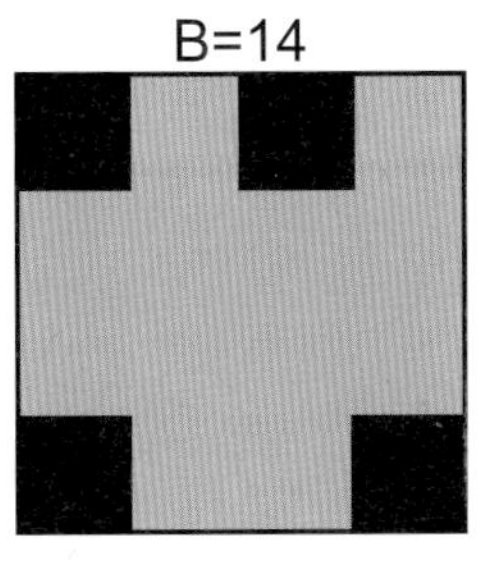

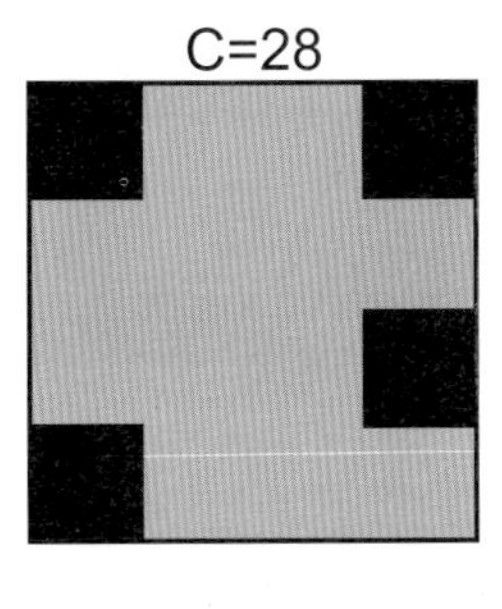

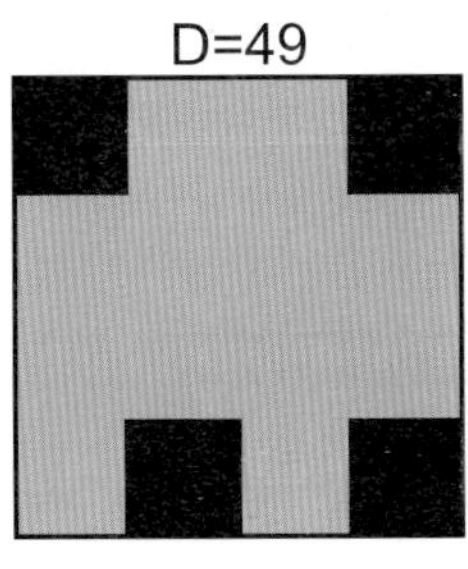

8eight

答案：90

当齿轮按照箭头所示的方向旋转时，齿轮上悬挂的棒子会将球击入A槽或B槽。如果你认为球会落入A槽，那么下一道题的指令就是22；如果你认为球会落入B槽，则下一道题的指令是35。

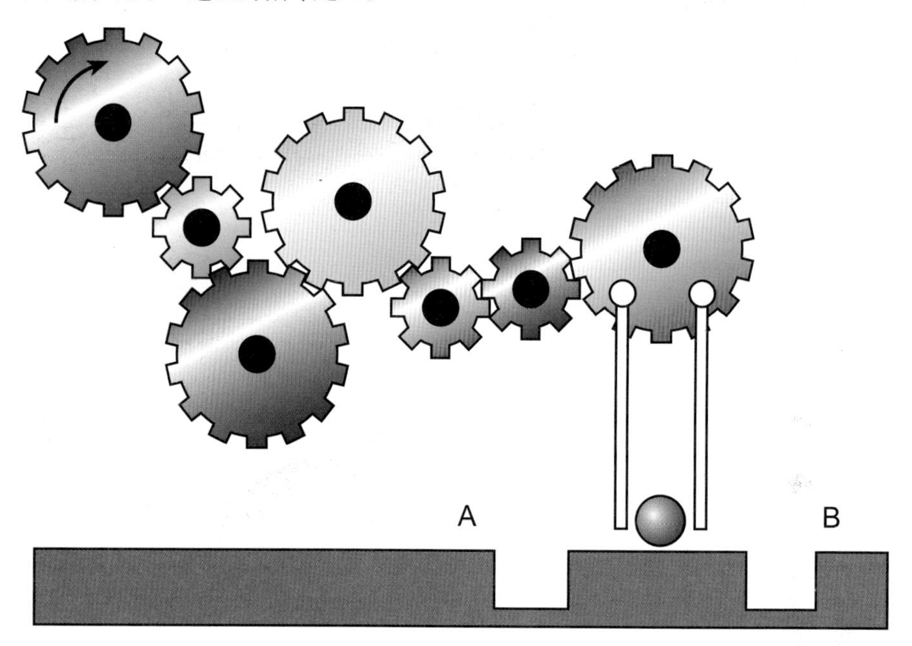

9 nine

答案：90

如右图所示，当你根据下面A、B、C、D、E、F的各项提示将各个数字依次填入图中的时候，垂直线上将会有一个六位数出现。将此数列的前三个数字组成的数减去后三个数字组成的数，你就能获得下一个指令。

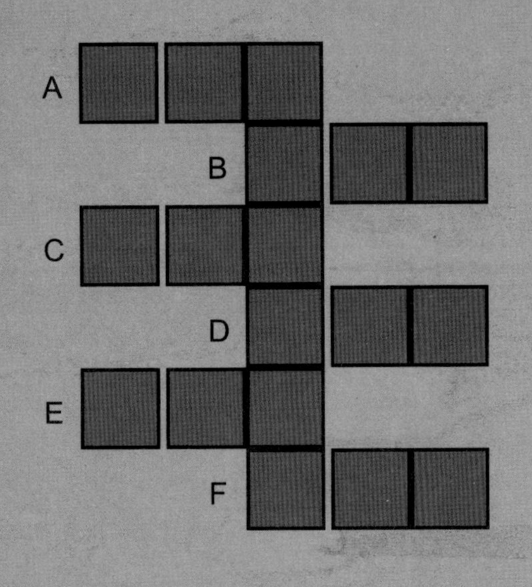

A. 一个什么数字减去6后，将结果除以15，加上3后，再平方，会等于100?

B. 一个什么数字加上16后，将结果除以5，减去16后，再除以5，会等于6?

C. 一个什么数字除以3后，将结果减去10，除以2后，再加上2，会等于48?

D. 一个什么数字减去12后，将结果减去16，除以42后，再取结果的立方，会等于8?

E. 一个什么数字减去31后，将结果除以6，乘以2后，再除以4，会等于50?

F. 一个什么数字减去60后，将结果除以18，加上5后，再除以11，会等于不包括1在内的第三个质数?

M E N S A M E N S A

A

B

10 ten

答案：91

请找出图形A和B之间有多少个不同之处，然后将该数量加上13的和，作为下一个指令。

11 eleven

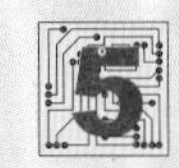

答案：91

请用两条直线和一个圆将下图分成4个部分，使得其中3个部分的数字之和均为100，剩下一个部分的数字之和则是150。然后将圆中所有的数字5相加，再减去20，得出的数字即是你走出虚拟现实空间的下一个指令。

2 0 7 2 5 7 0 4 2 7 5 1 0 3 0 4
6 8 0 0 4 2 0 4 2
8 1
7 2 0 1 5 6 1 1 0 5 0 5 0 0
6 4 5 0 2 3 2 7 7 1 3
0 8 9 7 3 5 0 6 6 0
0 5 1 0 4 1
9 6 4 3 5 3 1 4 3 1 0 0
0 0 1 4 0 3 2 4
0 8 0 2 3 0 0 0 9
0 2 9 3 2 3 6
0 4 8 6 3 0 0 2
4 2 3 3 2 5 9 5
3 1 4 0 1 1
6 0 3 4 0 3 0
0 0 0 2
7 8 0 6 2
3 4 7 0 0
5 1 0 0 5 2 0 0 0 3 0 1

E	H	K	N	Q
24	33	42	51	?

12 twelve

答案：91

根据所给出的已知条件解出艾德里安设在问号处的代码，将此代码减去1后，就是下一个指令。

13 thirteen

答案：91

对某些人来说，这道题看来实在是难上加难。艾德里安决定在这道题中使用8进制的数字，而不再用十进制的数字了：你只有用八进制的144减去八进制的122，得出一个八进制的数字，然后再将它转换成十进制，最终才能找出下一个指令。

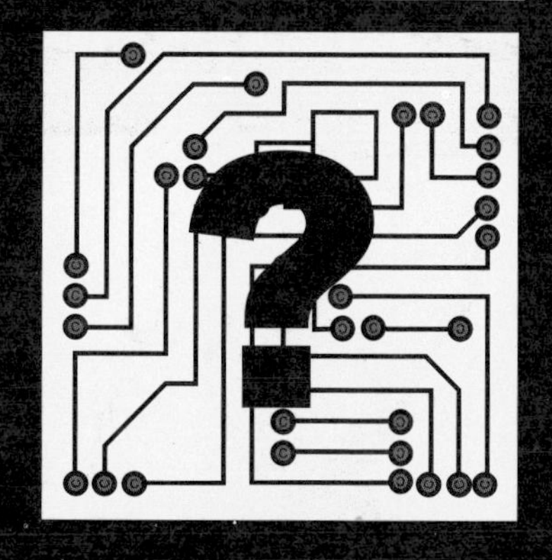

HUMAN VS

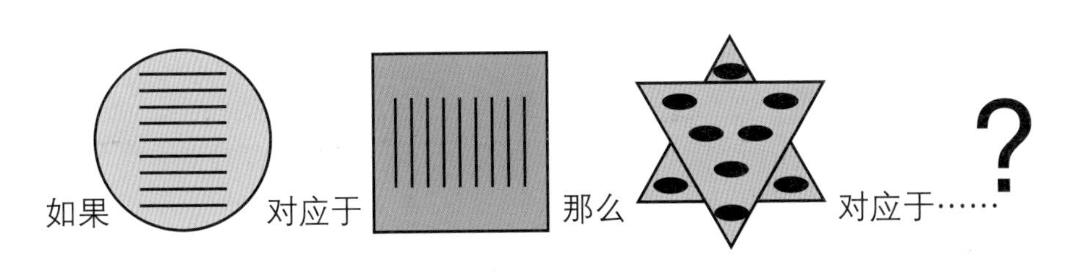

14 fourteen

答案：91

如上图所示，请根据艾德里安设置的图形变化规律，找出问号处应由哪一个选项代替，并据此找出下一个指令。

A=指令44

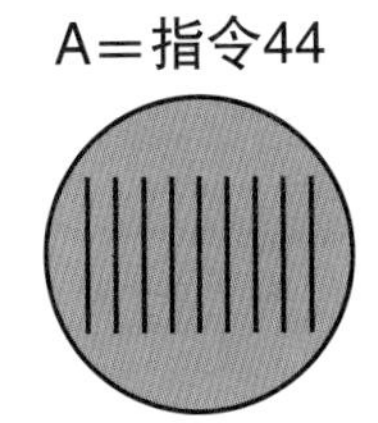

B=指令36

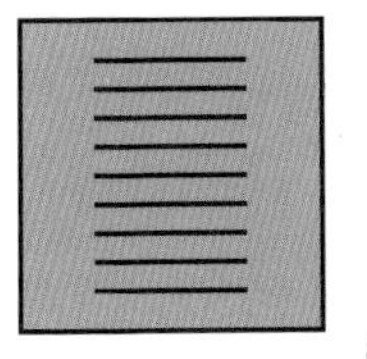

C=指令10

D=指令41

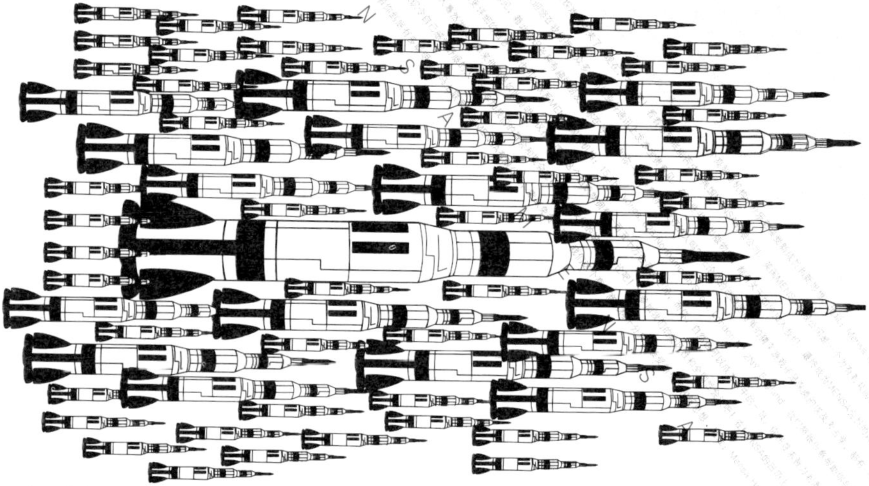

15 fifteen

答案：91

6

上图中共有多少枚火箭？将该数量减去58，便可得出下一个指令。

16 sixteen

答案：91

已知两个数字相加之和为59，它们的平方之和则为2105。两数字中较小的数字加上9后，即为下一个指令。

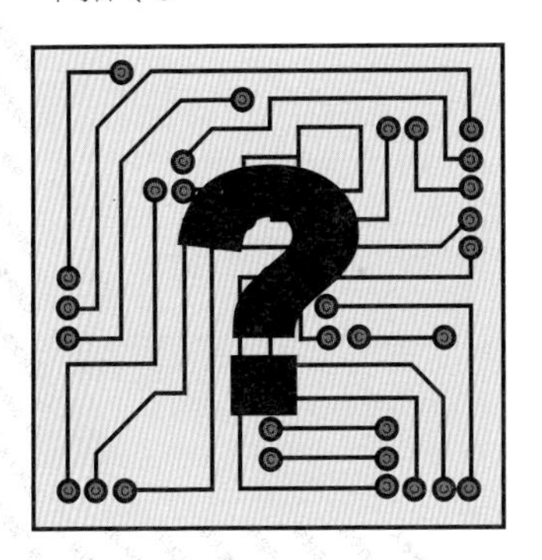

17 seventeen

答案：91

已知下面A、B、C、D4个选项中，有一个选项是与其他三项不同的。请将该选项方格里的数字相加后减去1，作为下一个指令。

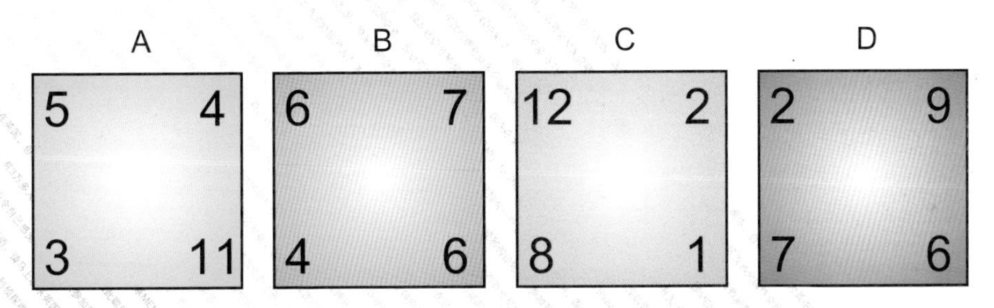

HUMAN VS

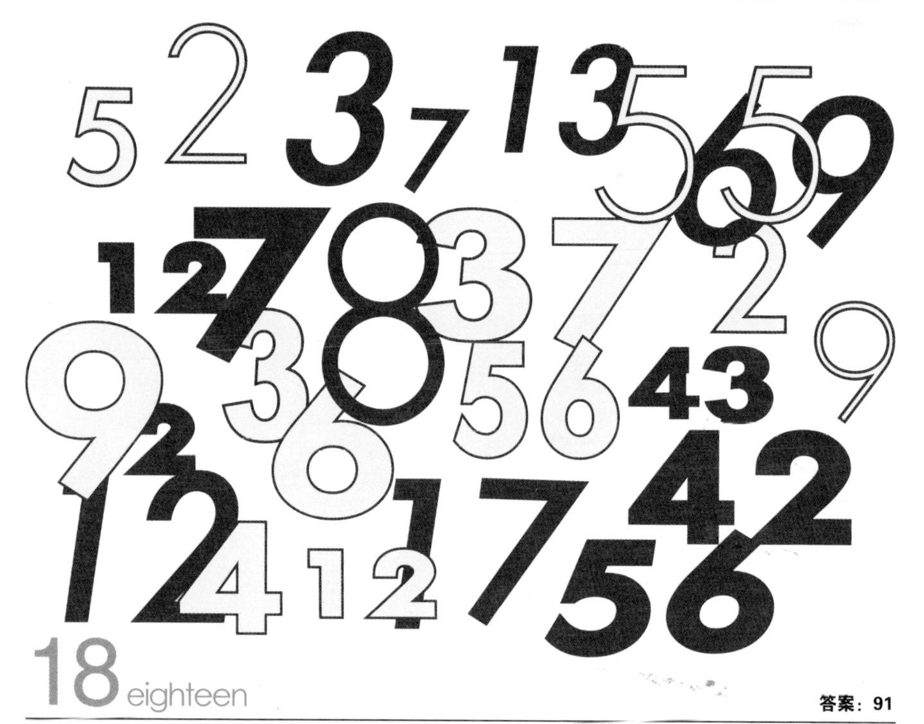

18 eighteen

答案：91

艾德里安认为人类不善于逆向思维，所以他故意将你要找的有关指令的线索写反了，并把它放在这堆乱糟糟的数字里面。将这个反写的数字减去5，即可得出下一个指令。

COMPUTER

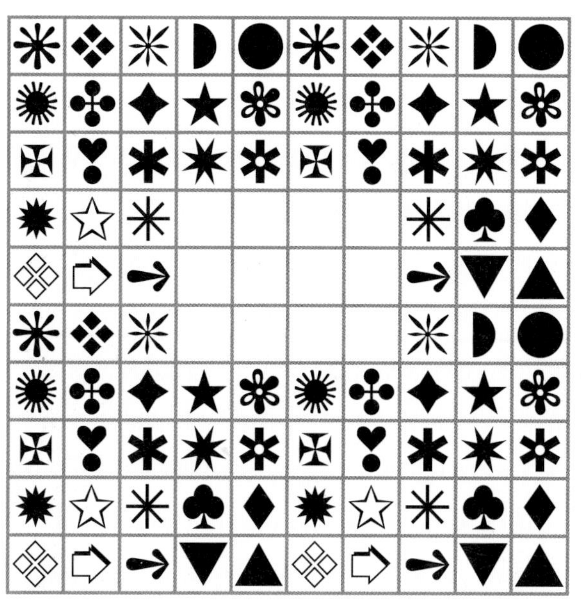

19 nineteen

答案：91

请从A、B、C、D4个选项中选出一项填入图中空白部分，并据此找出相应的指令。

A=指令11

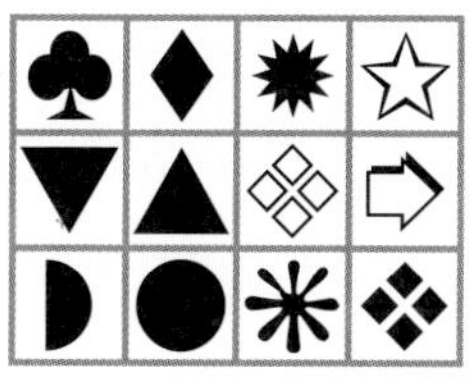

B=指令37

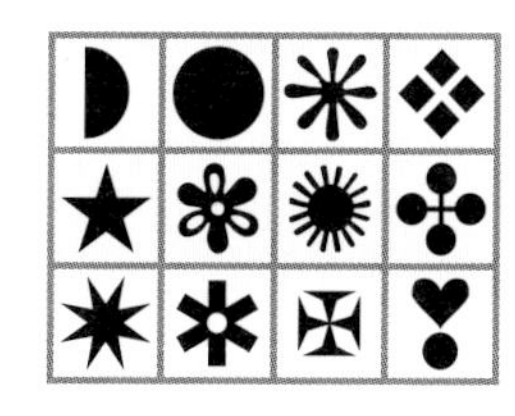

C=指令54

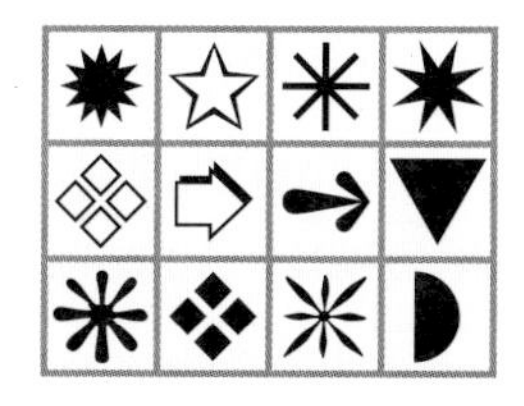

D=指令5

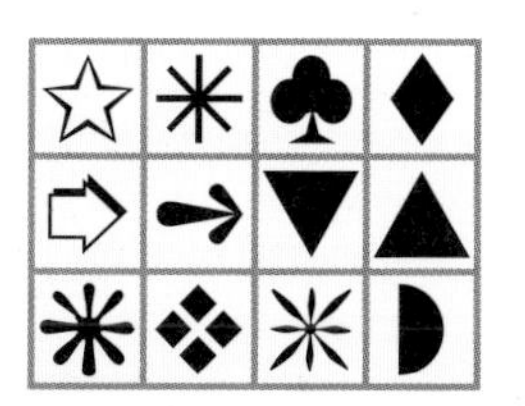

A = 指令55

1 3 8

B = 指令41

1 6 1

C = 指令33

1 8 4

D = 指令12

2 0 7

E = 指令26

2 2 8

20 twenty

答案：91

请从上面各数字选项中找出与众不同的一项，它所对应的数字就是下一道题的指令。

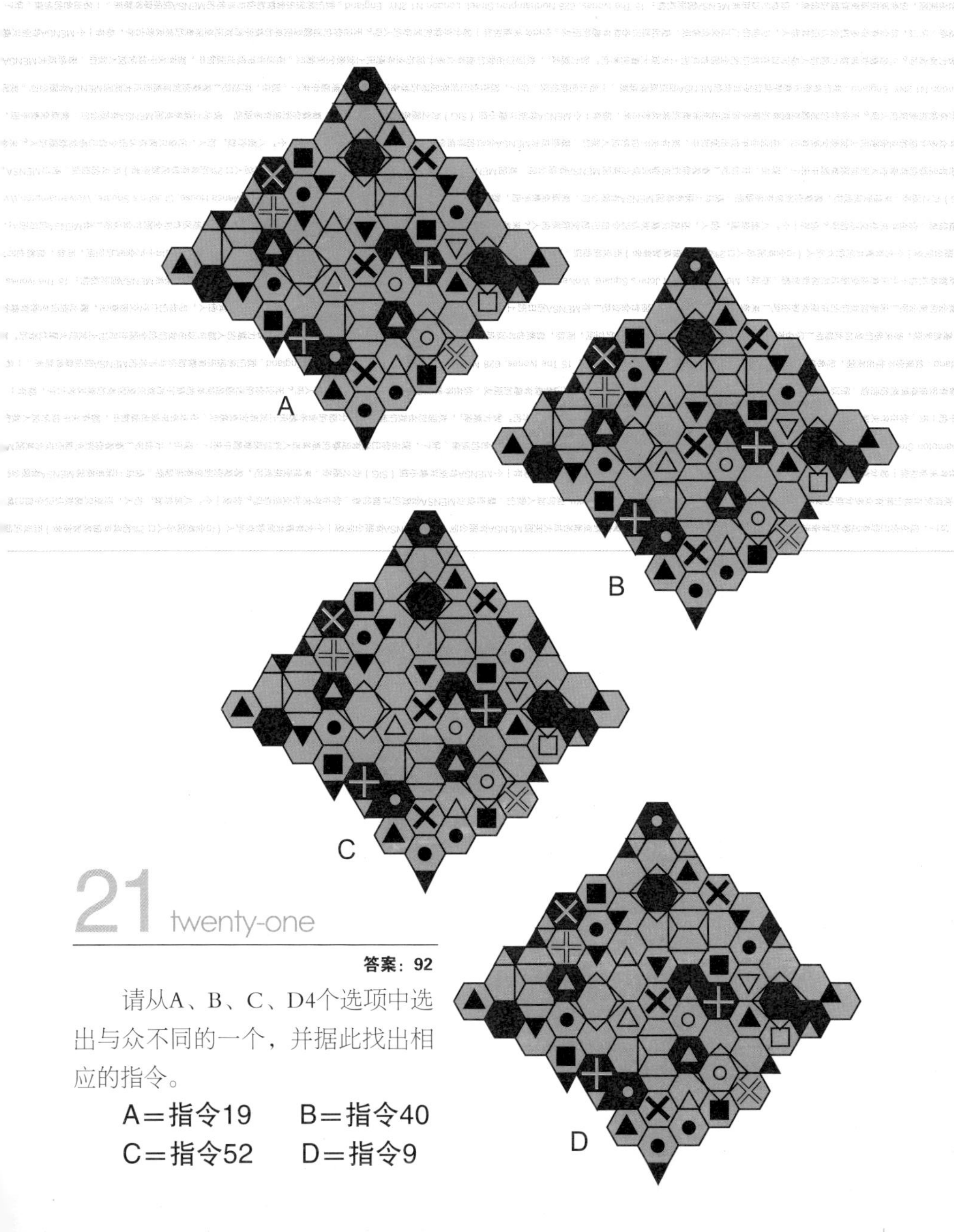

21 twenty-one

答案：92

请从A、B、C、D4个选项中选出与众不同的一个，并据此找出相应的指令。

A＝指令19　B＝指令40

C＝指令52　D＝指令9

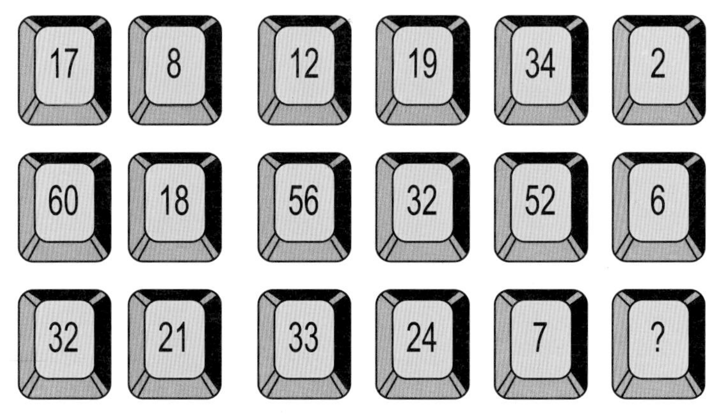

22 twenty-two

答案：92

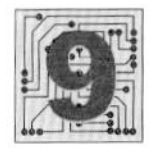

请根据所给出的已知条件，求出问号处缺少的数字。该数字即为你的下一个指令。

23 twenty-three

答案：92

你的下一个指令是这样的：它乘以2后，加上8再减去4，得出的结果除以7，然后平方，得出的数字加上4后减去30，再将这个结果平方，可以得出一个刚好比81大的下一个完全平方数。

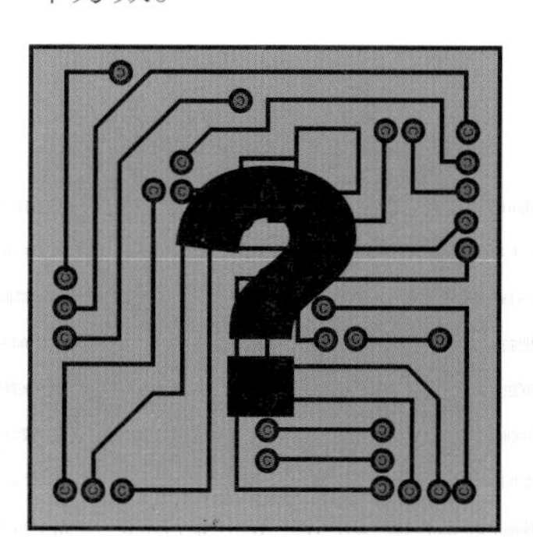

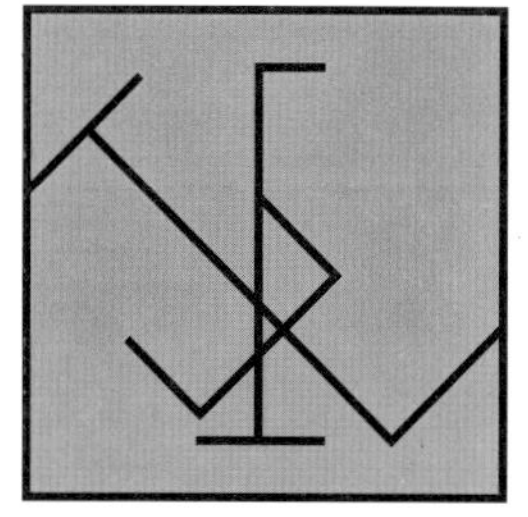

A=指令19

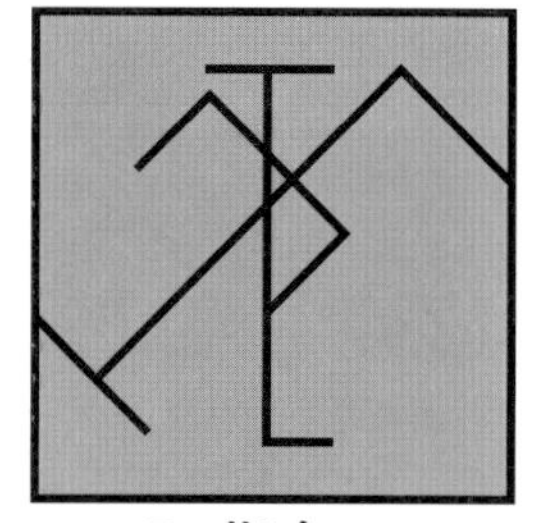

B=指令12

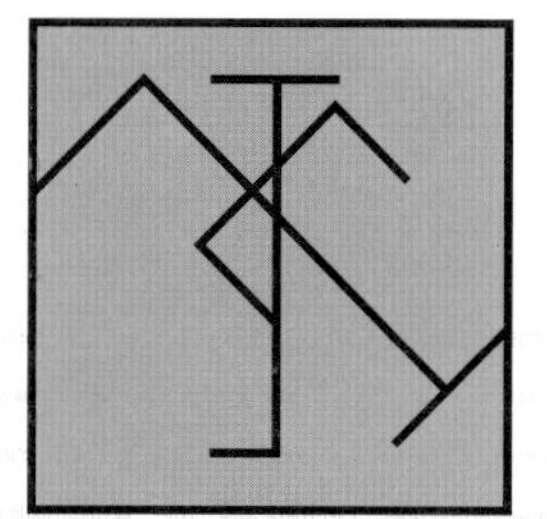

C=指令33

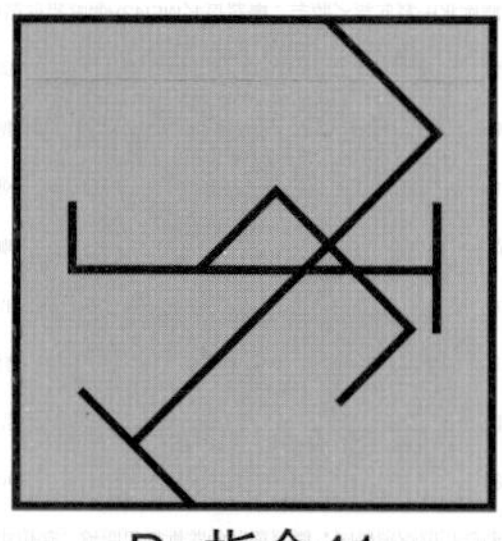

D=指令41

24 twenty-four

答案：92

请从左边A、B、C、D4个选项中选出与众不同的一项，并据此找出相应的指令。

25 twenty-five

答案：92

计算出问号处所缺的数字，将它减去91后所得的差，就是你与艾德里安复杂的电脑智力碰撞的下一个指令。

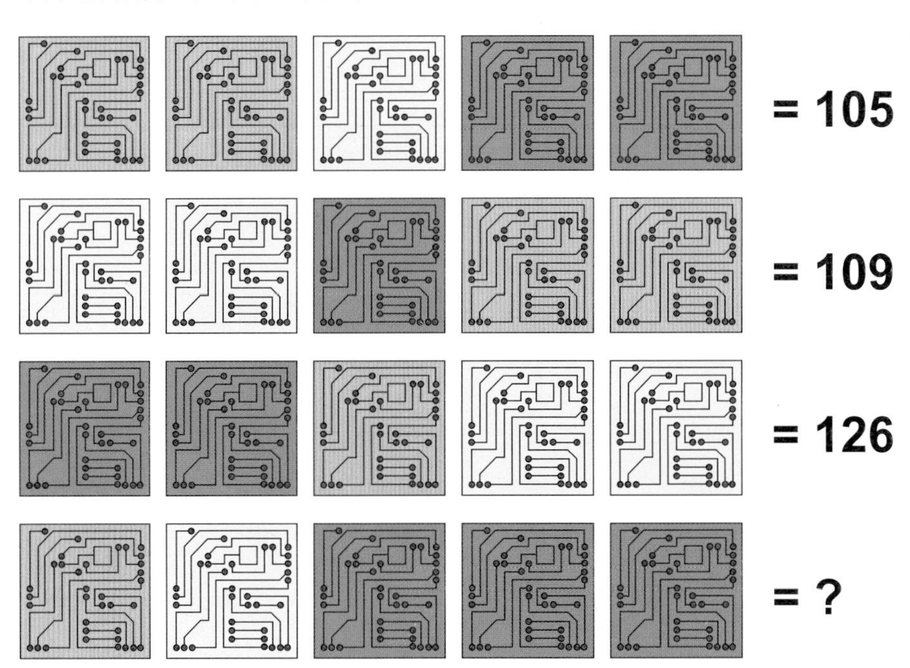

26 twenty-six

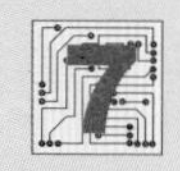

答案：92

请从A、B、C、D4个选项中选出与众不同的一项，并据此找出相应的指令。

A = 指令51

B = 指令31

C = 指令44

D = 指令16

A	B	C
2 4	3 6	6 4

D	E
8 1	1 4 4

27 twenty-seven

答案：92

艾德里安接下来就要挑战你的数字逻辑能力了。请找出上面数字中不同于其他的一项，并根据这一项的数字找出下一个指令：如果你的答案是A或者B，则选项内的数字即为下一个指令；如果你的答案是C或者D，则将选项内数字减去50；如果是E，则将选项内数字减去100。

28 twenty-eight

答案：92

请分别从下图中数出大六角星和小六角星的各自数量，你的下一个指令即为这两种六角星的数量之和。

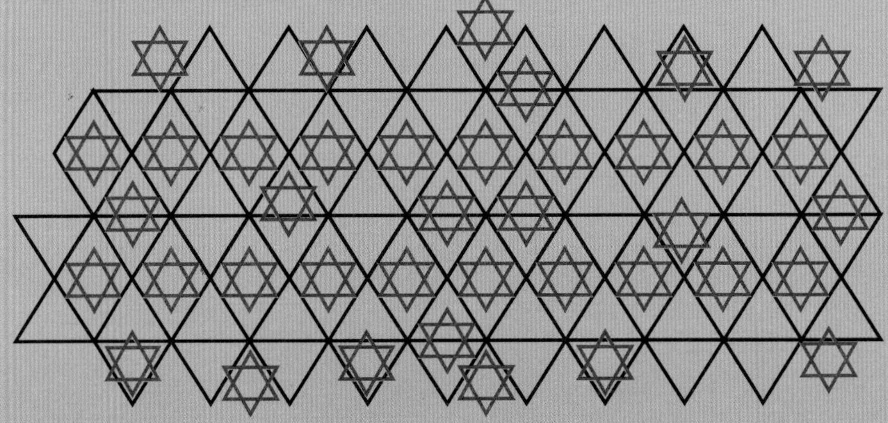

29 twenty-nine

答案：93

假设 a=6、c=2、e=8、g=4、i=3，请用4条直线将上图划分成6个部分，并使每个部分的所有数字之和均为50。如果在所划出的6个部分中的最小一部分里，最少出现的字母是e，则下一个指令是46；如果是i，则下一个指令为17。

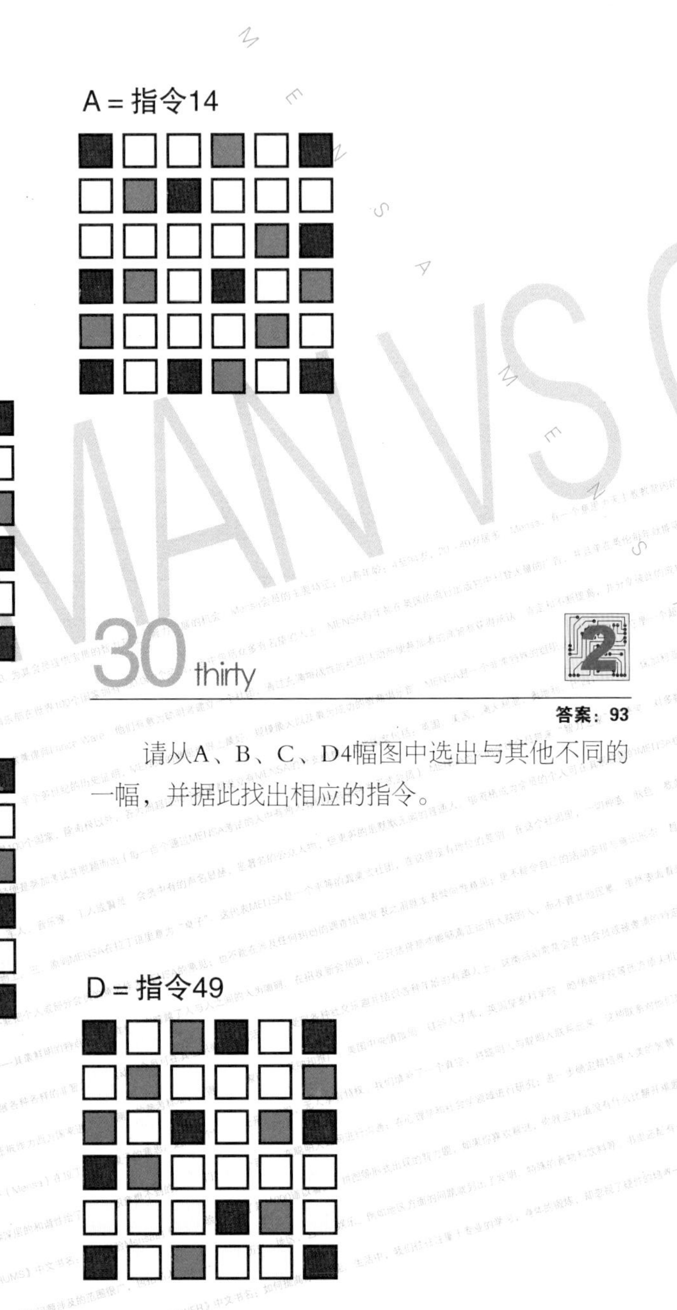

A = 指令14

B = 指令38

C = 指令27

D = 指令49

30 thirty

答案：93

请从A、B、C、D4幅图中选出与其他不同的一幅，并据此找出相应的指令。

31 thirty-one

答案：93

请根据已知条件计算出A和B所代表的数值。将B值减去4后，即可得出下一个指令。

A + B = 50　　B − A = 26

指令 = B − 4

32 thirty-two

答案：93

根据已知条件，求出问号处应填入的数字，再将这个数字除以8.9，即可找出虚拟现实空间的下一个指令。

BRAZIL = 140
FRANCE = 119
HOLLAND = 150
PASSCODE = ?

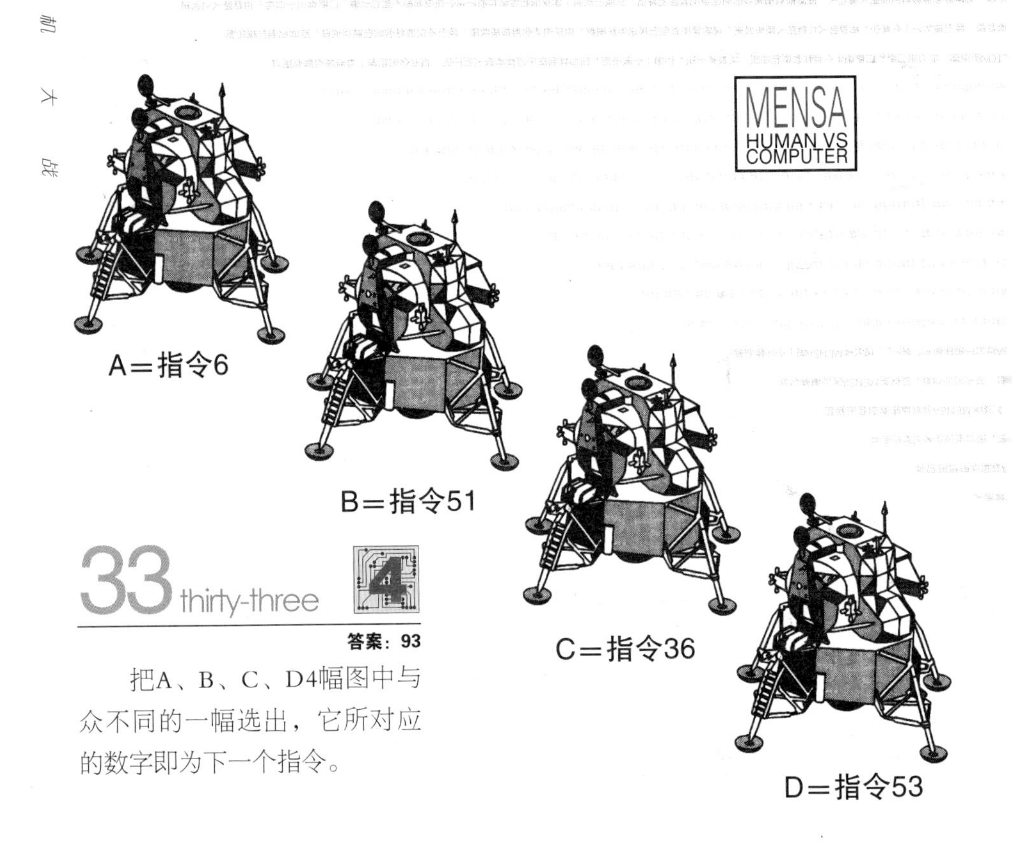

33 thirty-three

答案：93

把A、B、C、D4幅图中与众不同的一幅选出，它所对应的数字即为下一个指令。

34 thirty-four

答案：93

请尝试将数字72161767重新排列后组成一个次方根，你的下一个指令的8次方就是这个次平方根。

7	2	1	6	1	7	6	7

35 thirty-five

答案：93

如图所示，在A、B、C、D4个平面图中，哪一个选项能折叠成上面已给出的立方体？该选项所对应的数字即为下题指令。

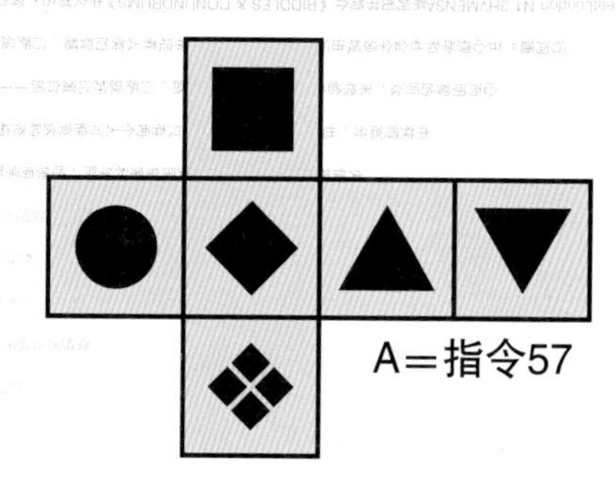

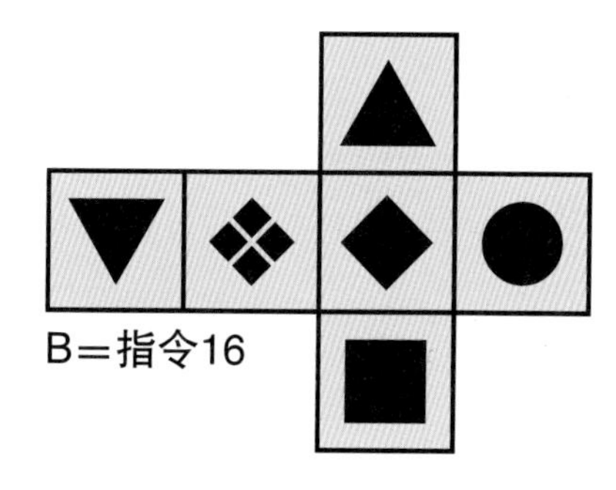

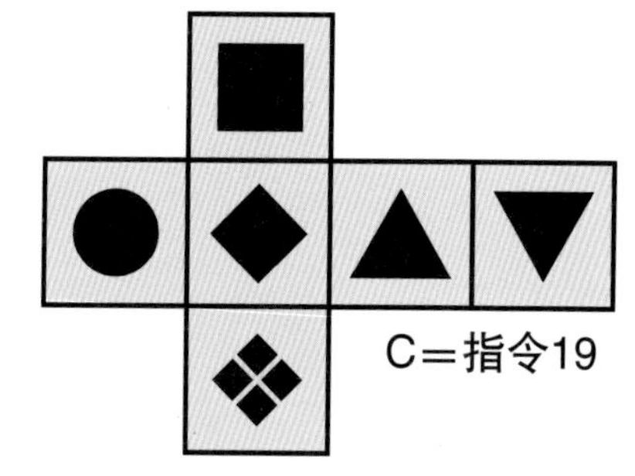

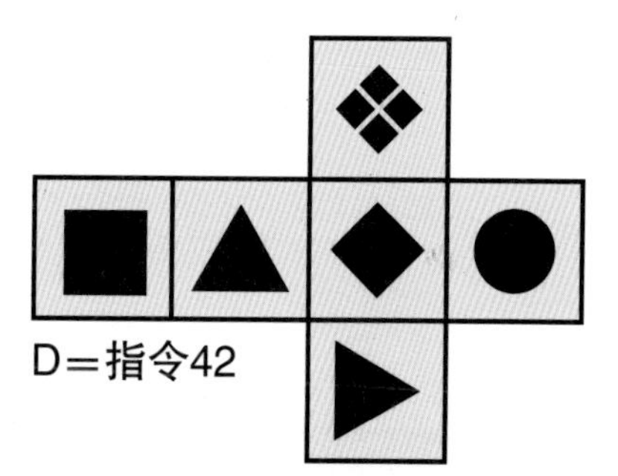

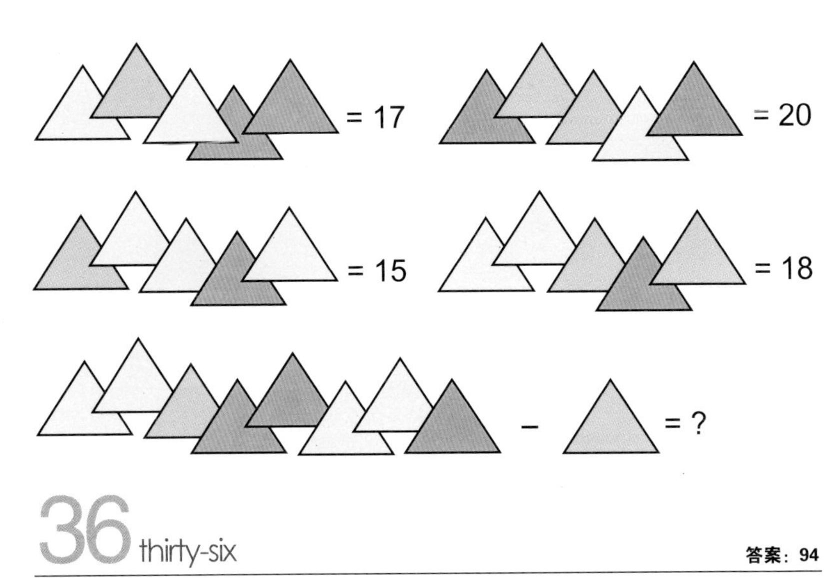

36 thirty-six

答案：94

请根据所给出的已知条件，计算出上面问号处所应填入的数值，并将它作为下一道题的指令。

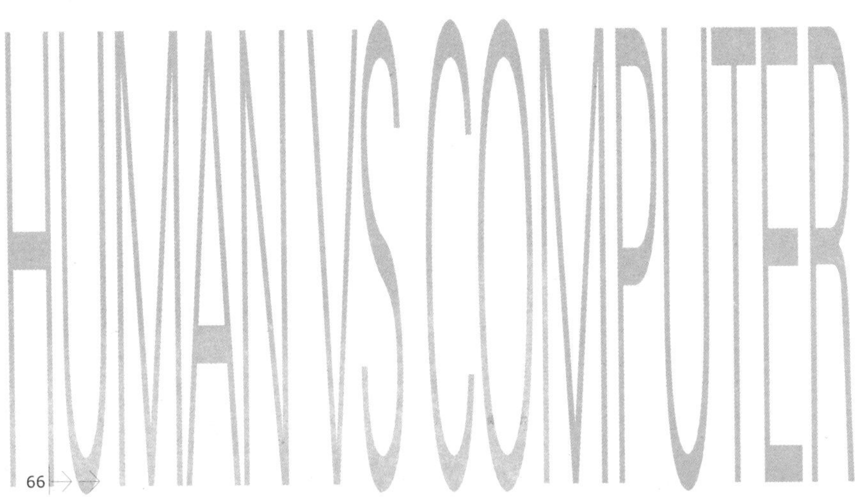

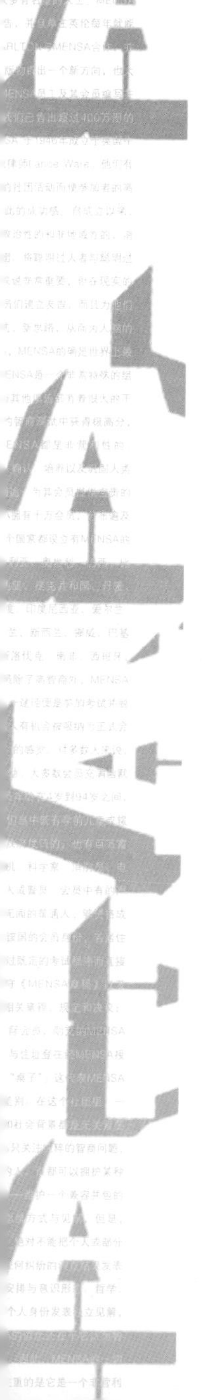

37 thirty-seven

答案：94

请从A、B、C、D4个选项中选出与众不同的一项，并据此找出相应的指令。

A＝指令12

B＝指令38

C＝指令33

D＝指令48

30	39	48	1	10	19	28
38	47	7	9	18	27	29
46	6				35	37
5	14				36	45
13	15				44	4
21	23	32	41	43	3	12
22	31	40	49	2	11	20

38 thirty-eight

答案：94

请完成上图中的魔方，使得每一行、每一列、每一条对角线上的所有数字之和都等于175。将位于该魔方中心的那个数字翻倍，就可以得到下一个指令。

39 thirty-nine

答案：94

请从A、B、C、D4个选项中选出与众不同的一项，并据此找出相应的指令。

A=指令51

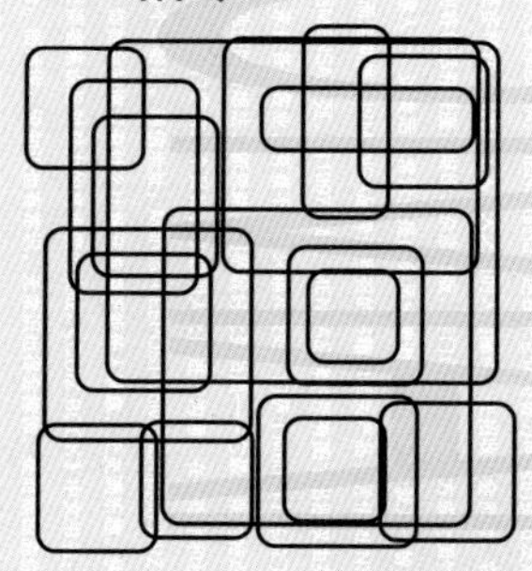

B=指令59

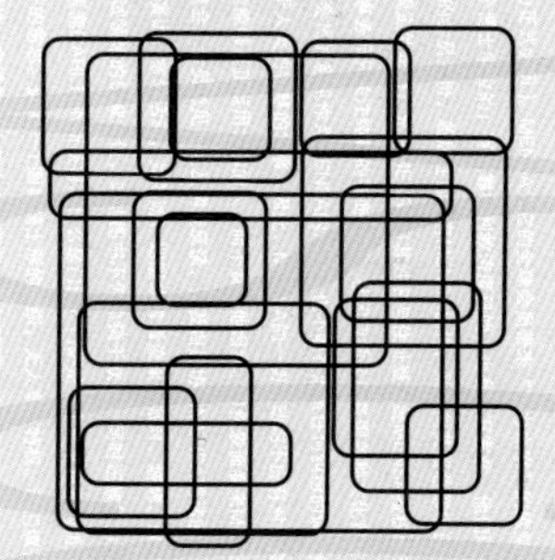

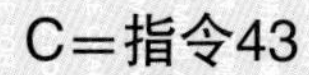

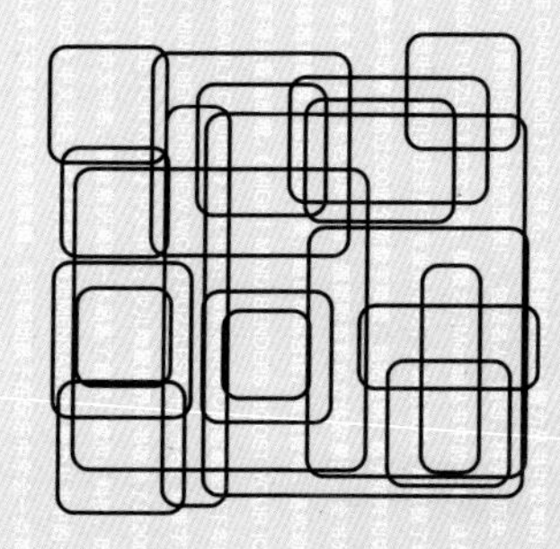

D=指令13

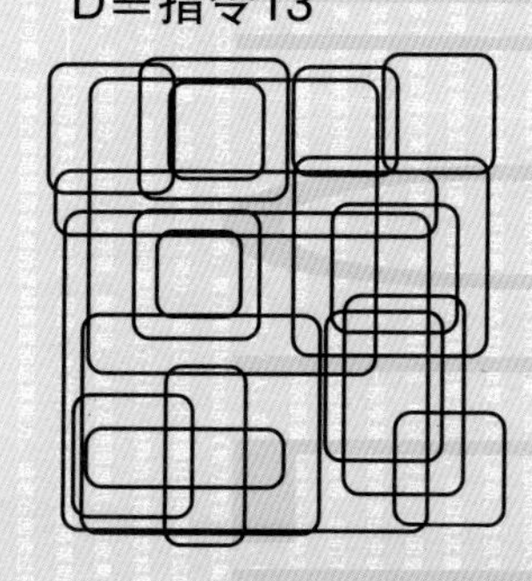

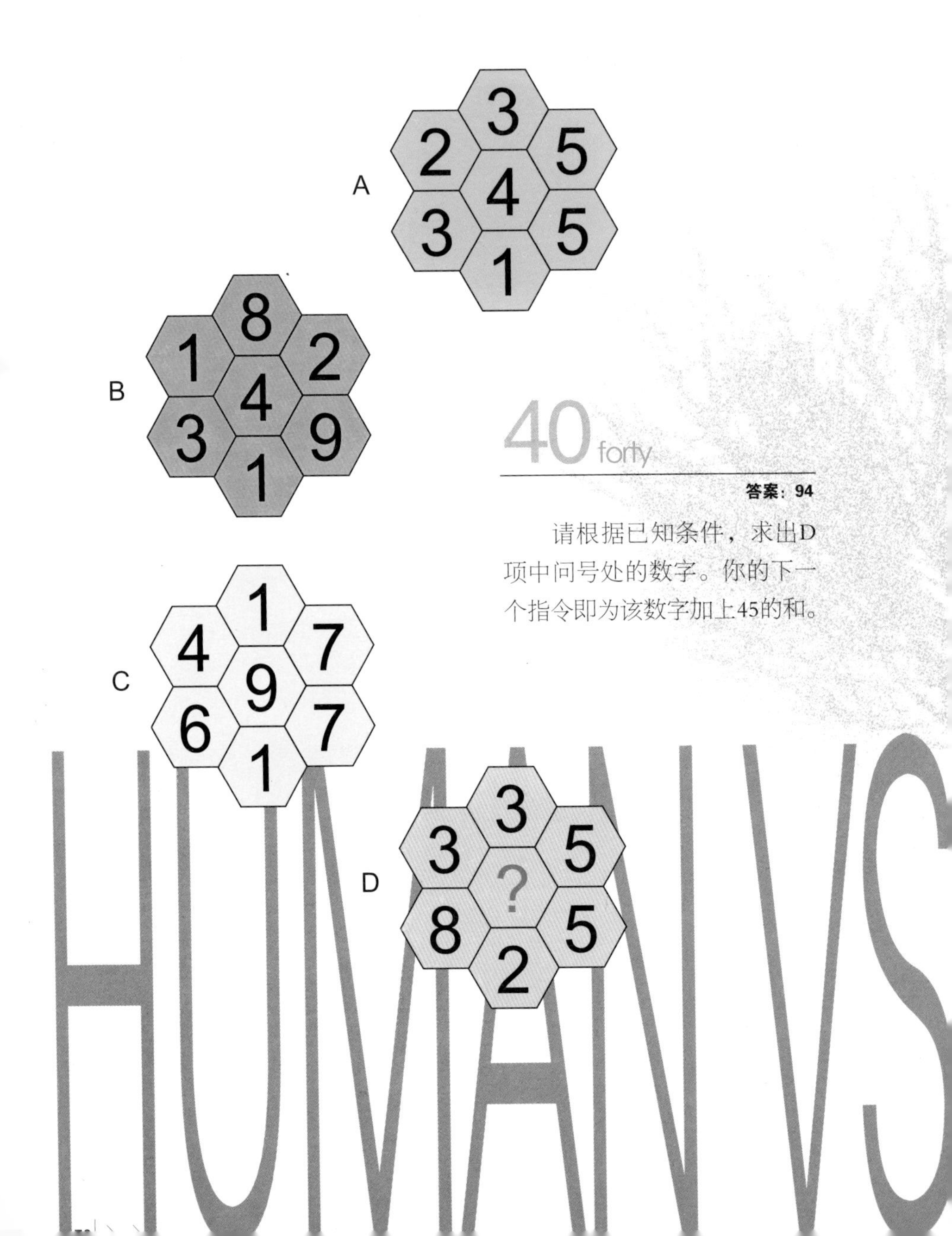

40 forty

答案：94

请根据已知条件，求出D项中问号处的数字。你的下一个指令即为该数字加上45的和。

答案：94

求出软盘A到软盘B的距离的平方之和，该得数的最后两位数就是引导你在虚拟现实空间走向自由的下一个指令。

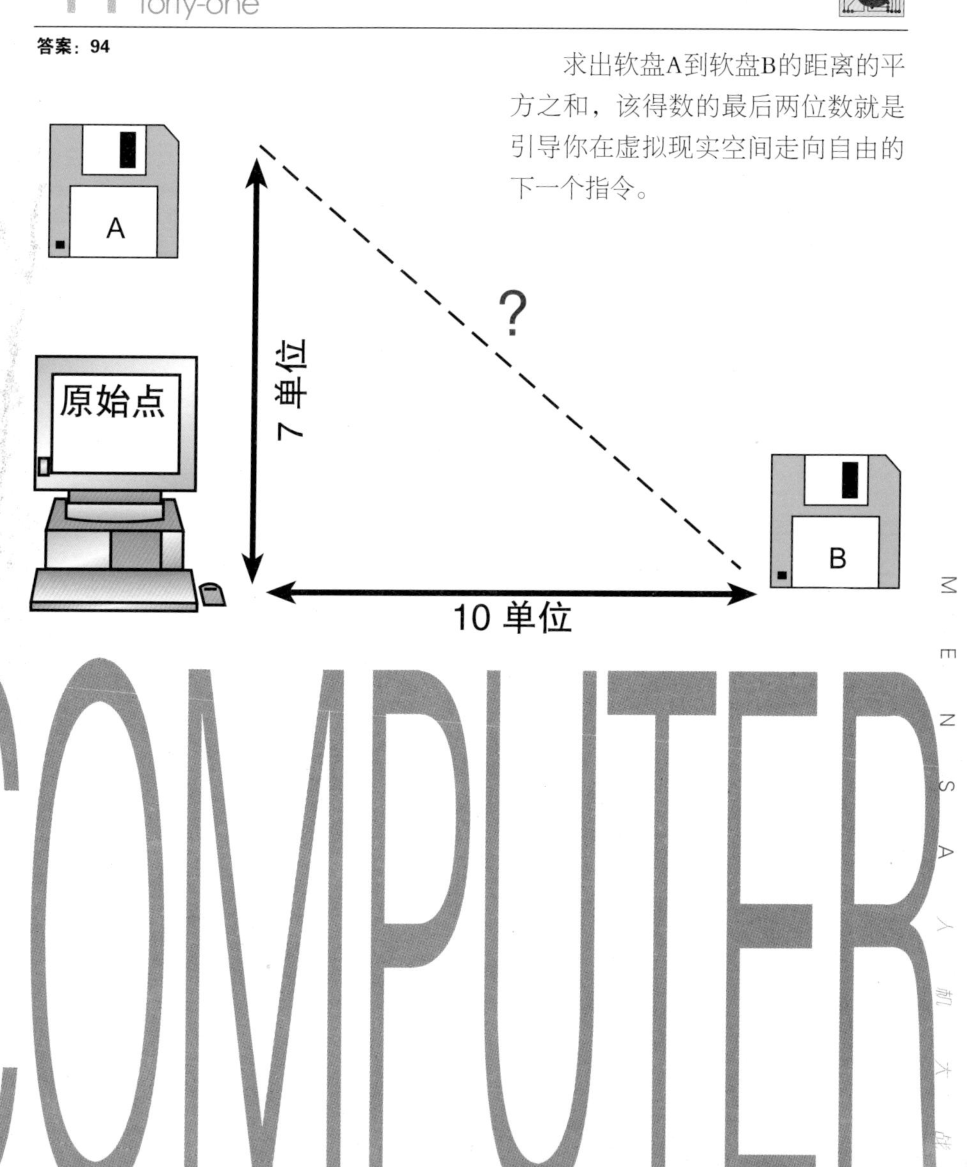

A＝指令53

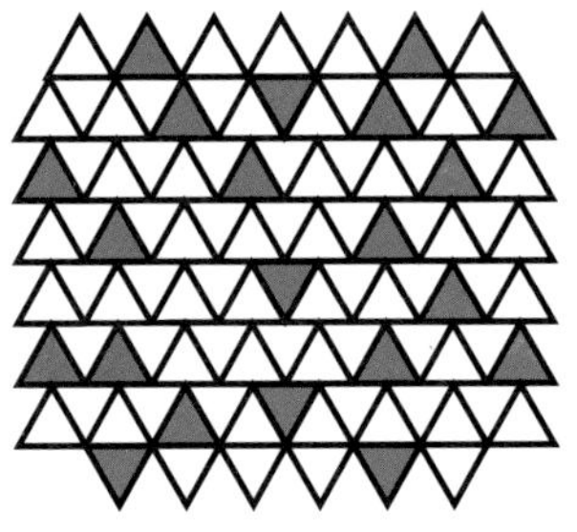

42 forty-two

答案：95

请从A、B、C、D4个选项中选出与众不同的一项，并据此找出相应的指令。

B＝指令14

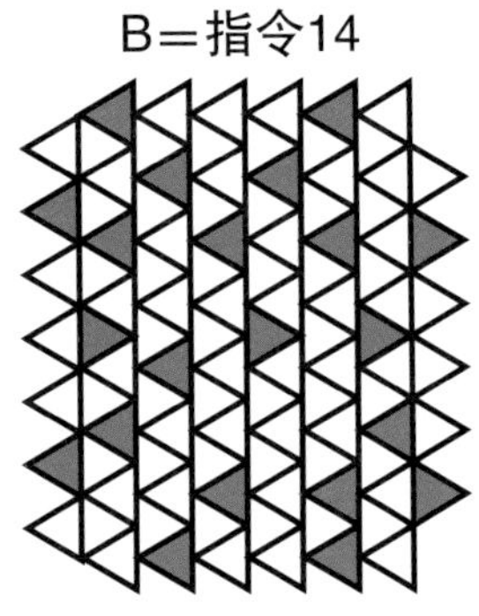

C＝指令40

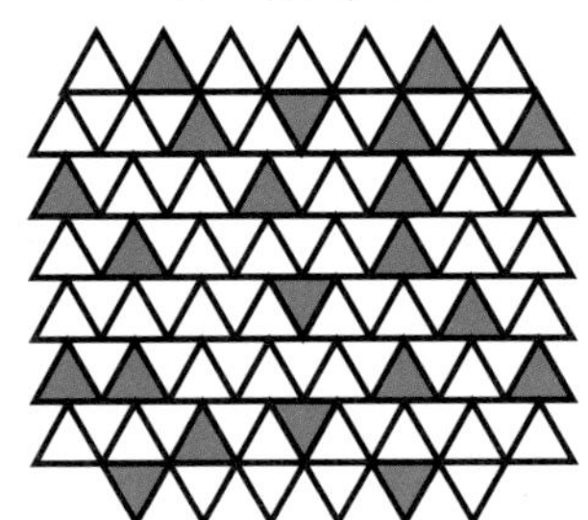

D＝指令16

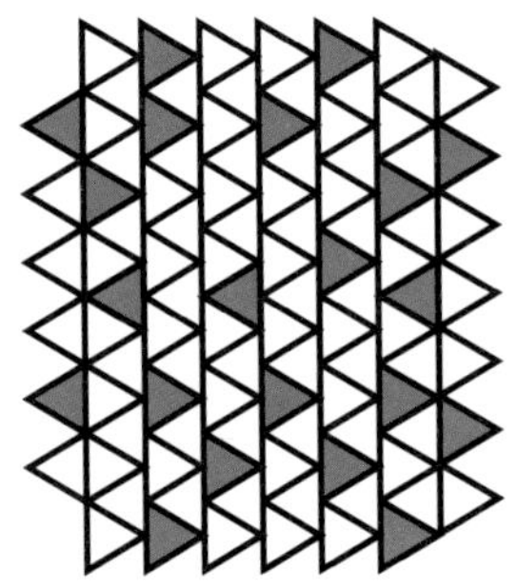

43 forty-three

答案：95

如上图所示，不考虑数字0，用3条直线将图形分成5个部分，使每个部分的所有数字之和分别是99、66、33、33和33。然后，算出含有数字最少的那部分共有多少个数字（同样不考虑数字0），并将这一数量加上21，就可得出下一个指令。

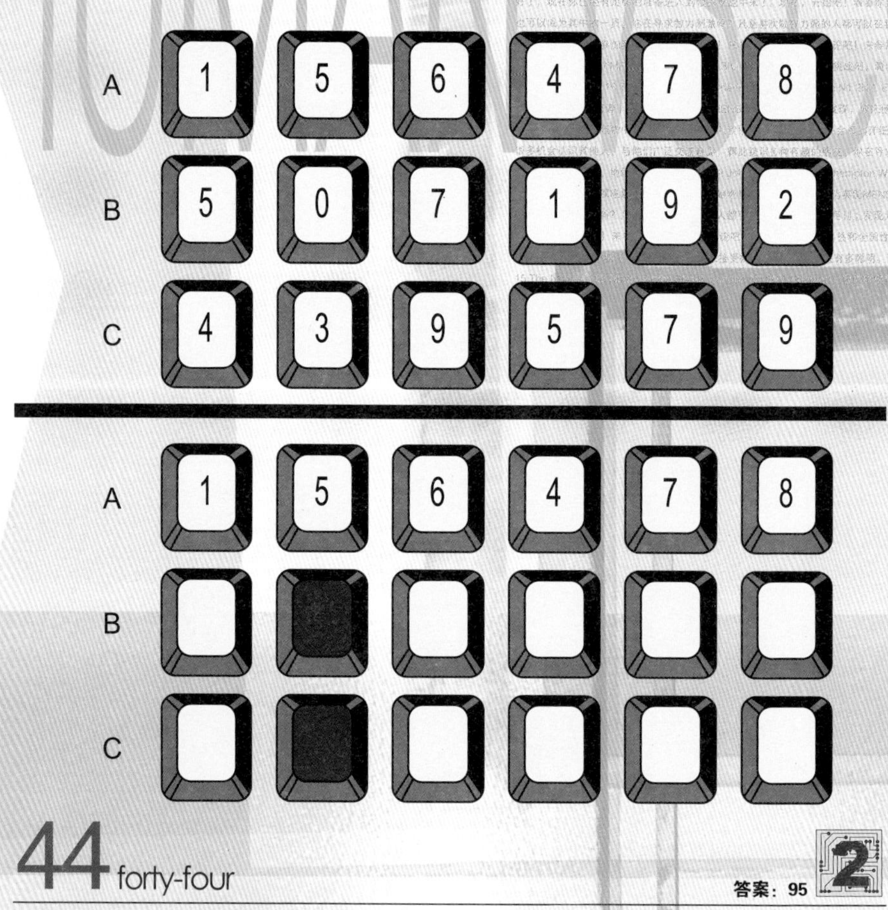

44 forty-four

答案：95

如上图所示，横线之上是一个简单的加法算式，但B行的数字顺序混乱了，C行中也有两个数字的顺序颠倒了。根据以上提示，请在横线下面重新排列B行和C行的数字，使得C行＝A行＋B行。你的下一个指令就是由B行、C行的阴影部分所组成的数字（按照CB的顺序）。

45 forty-five

答案：95

请尝试按从左到右的顺序，在下图中找出一条路线，使得该路线所经过的所有数字之和是376。然后将该路线上的最后一个数字减去54，即得出下一个指令。

注意：图中所出现的电路板都是特意设下的陷阱，无论是经过电路板，还是经过电路板旁边的格子，都会使你永远被困住，所以最好与电路板相距一格；而且，每个格子只能经过一次。

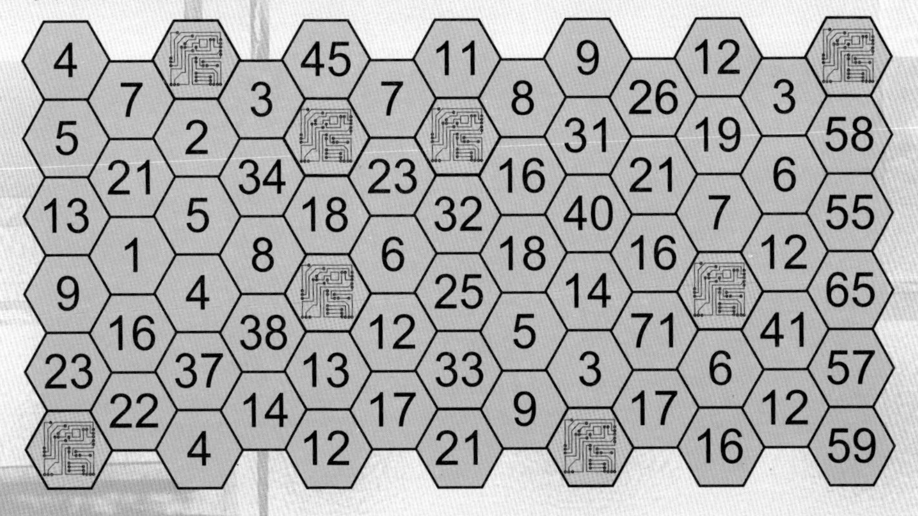

A=指令11

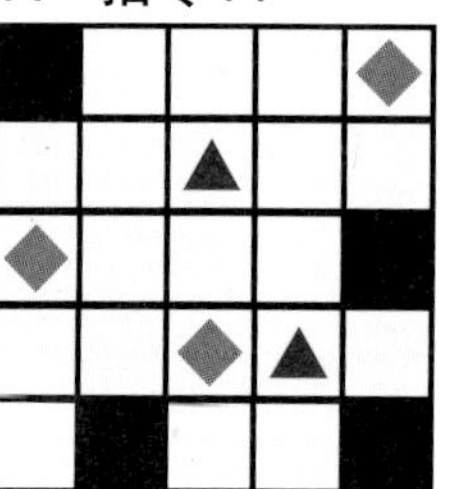

46 forty-six

答案：95

请着手解决艾德里安给你设置的这道视觉难题：从A、B、C、D4个选项中选出与众不同的一项，并据此找出相应的指令。

B=指令4

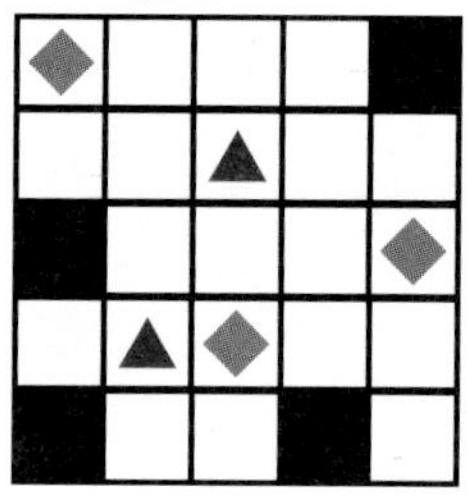

C=指令10

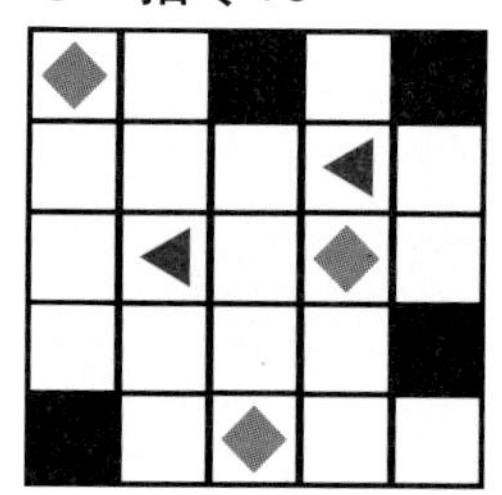

D=指令43

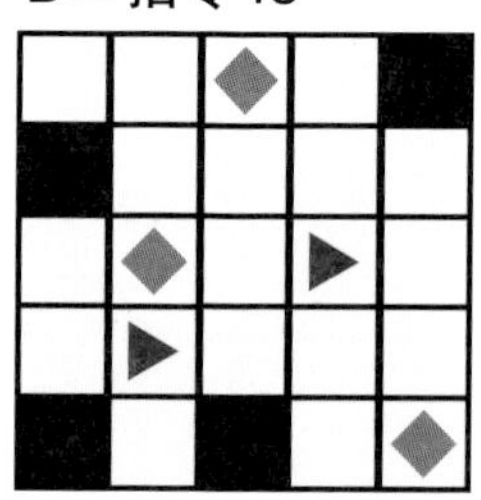

47 forty-seven

答案：95

请从A、B、C、D4个选项中选出与众不同的一项，并据此找出相应的指令。

A=指令29

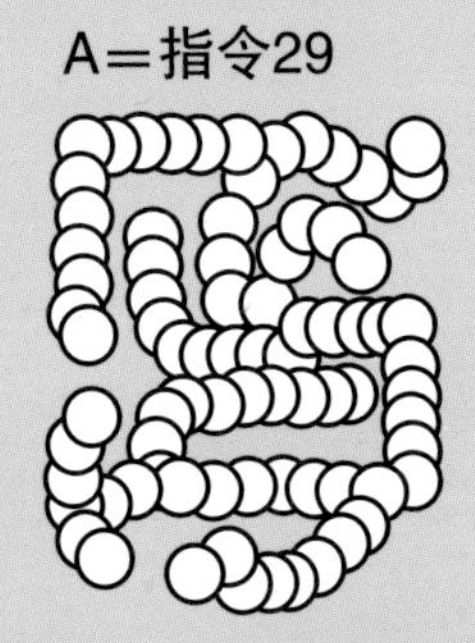

B=指令17

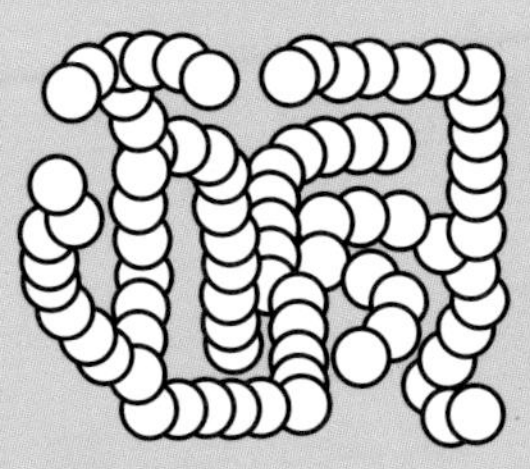

C=指令20

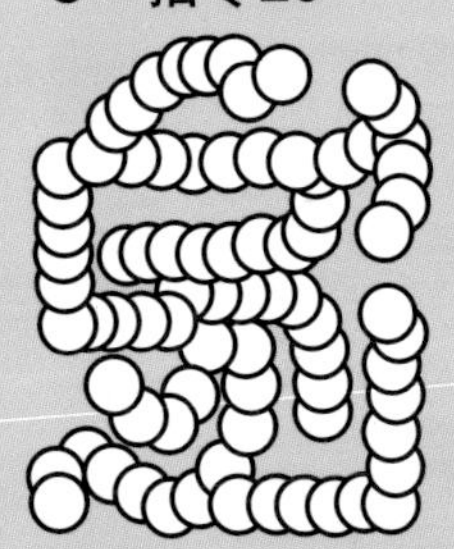

D=指令57

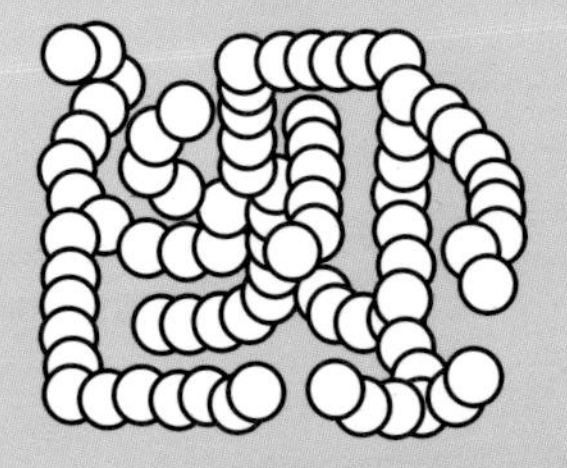

48 forty-eight

答案：96

破译上图中旧式电路板的代码，即可找出下一个指令。已知这些电路板图案代表从0到9的数字，但顺序被打乱了。根据图中给出的两组加减版式，你能破译这些电路板图案所代表的数字吗？

HUMAN VS COMPUTER

49 forty-nine

答案：96

请将下图中空白方格填充完整，使得以每一个黑色方格为中心，其周围的4个白色方格内的数字之积都与该黑色方格内的数字相等。完成后，将所有空白方格内的数字相加，即可得出下一个指令。

3		2		5		3		6
	252		280		300		360	
6								4
	630		168		320		480	
5								3
	360		180		480		288	
4								2
	648		810		630		336	
3		9		3		7		4

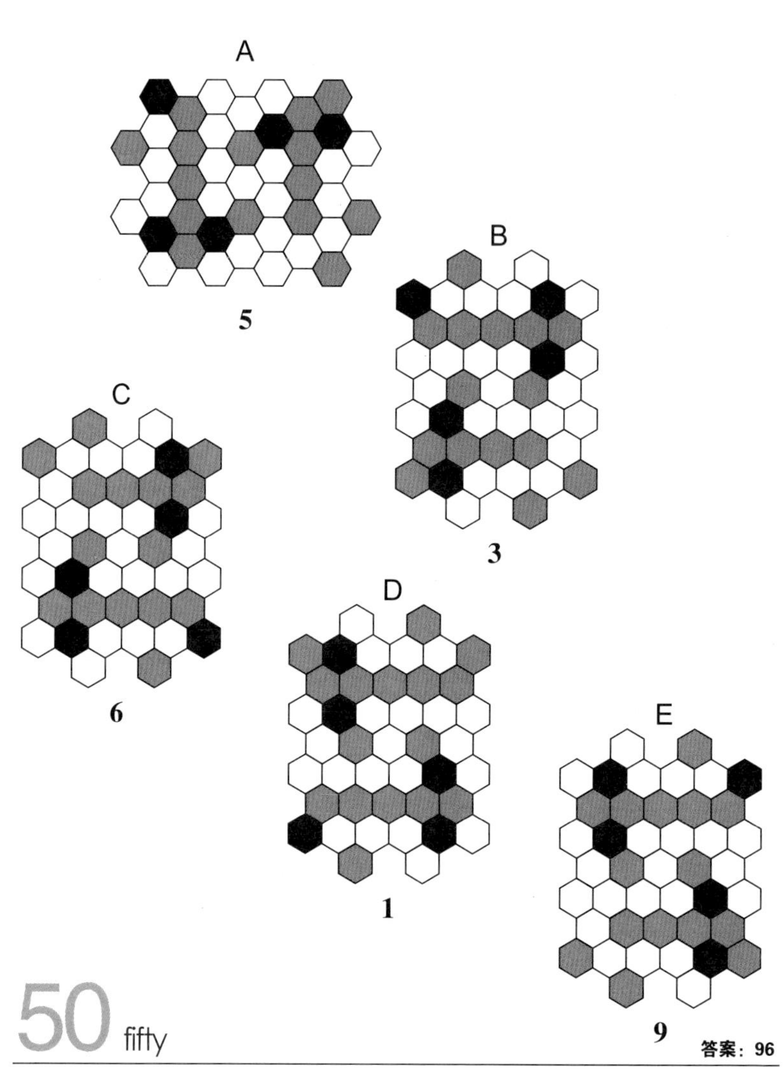

50 fifty

答案：96

在上面A、B、C、D、E 5个图形中，其中两个是另外三个（这三个是旋转角度不同的同一图形）的镜像。请你找出这两个图形，然后将它们下方的数字按照从小到大的顺序组成一个数字，即为下一个指令。

司是一个为有着共同特点
而设的组织。通过MENS
明！仅在英国，这个组织
可以成为其中的一员。你
可以在我们的全国性月刊
拥有众多分部的业务通讯
关于如何加入我们、最终
动吗？你是一个"八面玲
人？来参加我们的舞会和
我们的地区性和全国性会
得满满的活动。所以，你
见，籍此结识各种有趣的
吗？无论你的迷题是简单
MENSA特别兴趣小组（S
多聪明。请马上联系英国
智商机构十分乐意接受新
Square, Wolverhampton,
望获取更详细的信息，你
628 Northampton Street,
助你与当地的MENSA组织
经有足够的准备进入到侦
否成为英国MENSA有限公
点的人（占全英国总人口
MENSA，有3万多人蓦然
组织就拥有一百五十万会
你在寻求智力刺激吗？凡
刊上发现大量优秀的"智
讯上发表宝贵意见。在这
终成为MENSA会员的详细
玲珑"的人，还是只喜欢
和聚会吧！来参加我们的
会议吧！在MENSA的日
你会有很多机会认识其他
的朋友。你在寻求能和你
单的猜字游戏还是深奥的
（SIG）为之服务。来接受
国MENSA有限公司，索取
新成员和新思想。地
Wolverhampton,Wv2 4A
详细的信息，你也可以
Northampton Street, Lo
与当地的MENSA组织取
足够的准备进入到侦探
为英国MENSA有限公司
人（占全英国总人口2%
有3万多人蓦然发现，原
一百五十万会员的空间，
智力刺激吗？凡是喜欢做
大量优秀的"智力题库"，
宝贵意见。在这些书或
MENSA会员的详细信息
的人，还是只喜欢认识令
吧！来参加我们的讲座
吧！在MENSA的日历上，
有很多机会认识其他人，
友。你在寻求能和你一起
猜字游戏还是深奥的埃及
为之服务。来接受挑战
MENSA有限公司，索取
成员和新思想。地

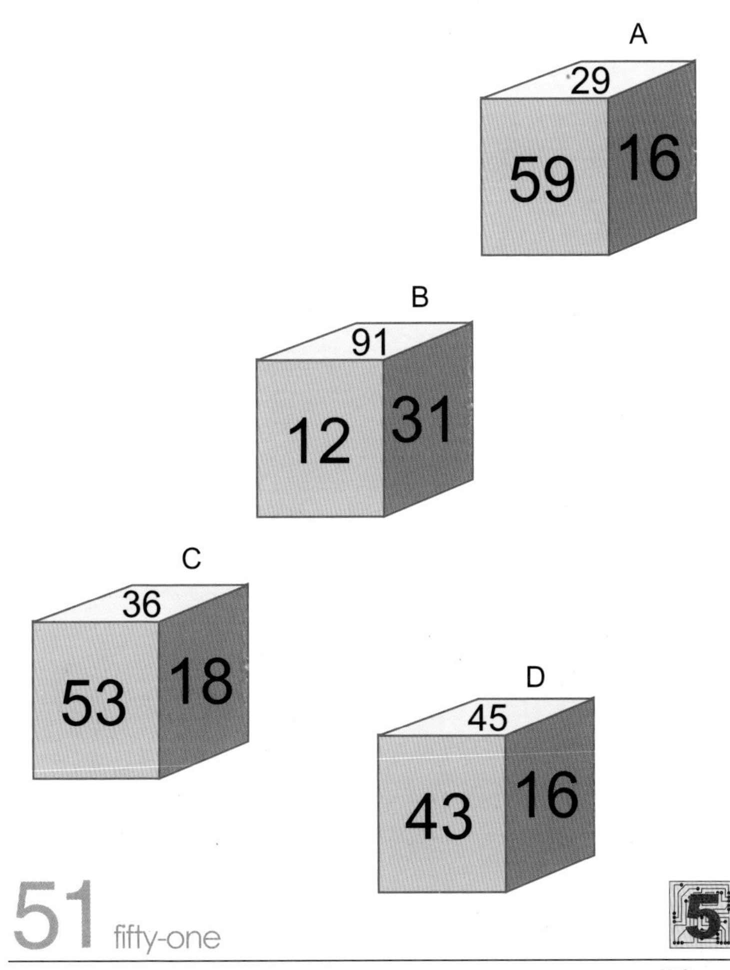

51 fifty-one

5

答案：96

请从上面A、B、C、D4个选项中选出与众不同的一项，该选项正对着你的那一面上的数字，即为引导你逃离虚拟现实空间的下一步的指令。

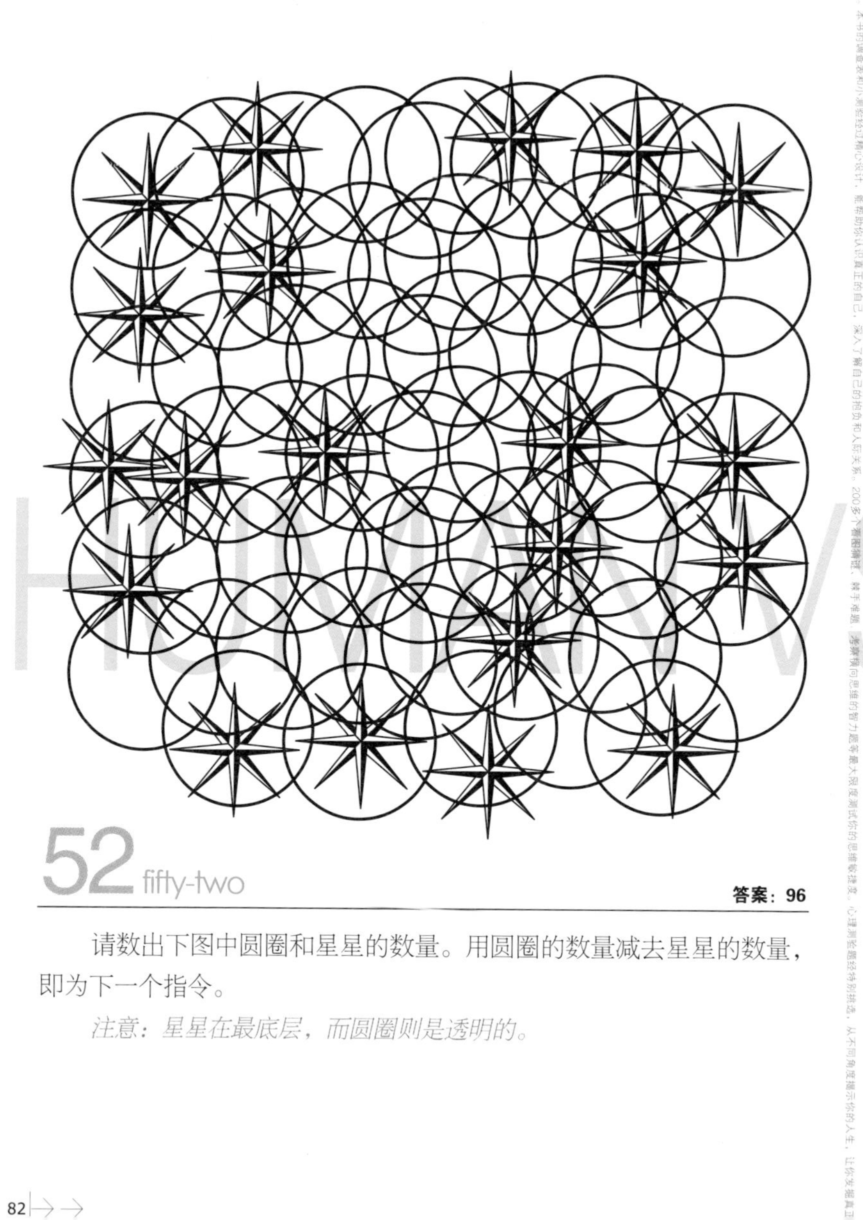

52 fifty-two

答案：96

请数出下图中圆圈和星星的数量。用圆圈的数量减去星星的数量，即为下一个指令。

注意：星星在最底层，而圆圈则是透明的。

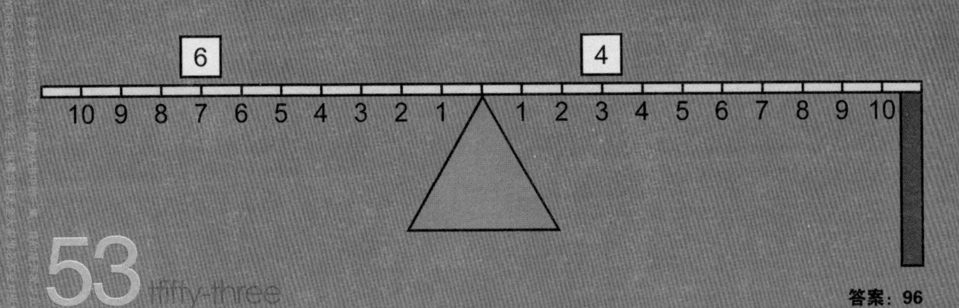

53 fifty-three

答案：96

如上图所示，此杠杆通过右边的绳索固定而得以保持平衡。请根据图形判断，要使绳索移走后，杠杆仍保持平衡，标号为3的砝码应放在什么位置？将该砝码所放置的位置下标的数字乘以3，即为下一个指令。

COMPUTER

A	B	C
2	3	5
1	6	8
8	5	3

54 fifty-four

答案：96

请根据已知条件判断，图中问号处应填入什么数字。这一数字即是你逃离艾德里安冰冷的躯体的下一个指令。

A	B	C
1	3	4
4	2	7
7	8	?

A	B	C
6	3	9
2	3	5
1	4	5

55 fifty-five

答案：97

请完成下面这个魔方，使得每一行、每一列、每一对角线上的所有数字之和均等于65。只要将位于魔方中心的数字翻倍后再加上2，就能得到下一个指令。

56 fifty-six

答案：97

请从A、B、C、D 4个选项中选出与众不同的一项，并据此找出相应的指令。

注意，图形里的数字仅代表指令，而并不作为图形本身的一部分。

A

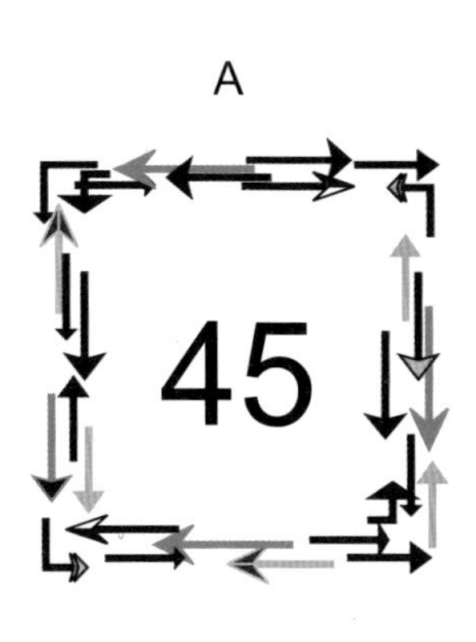

B

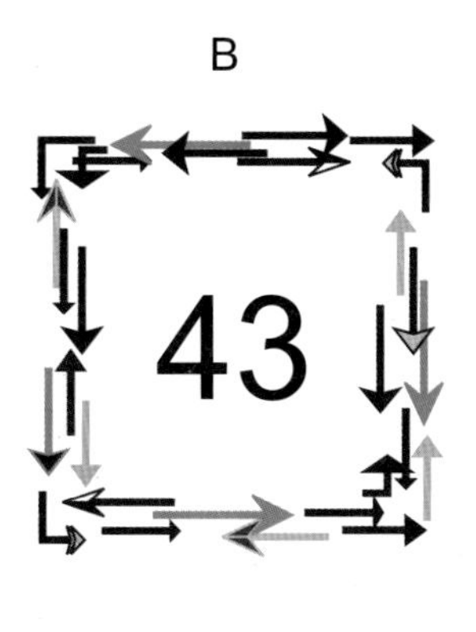

C

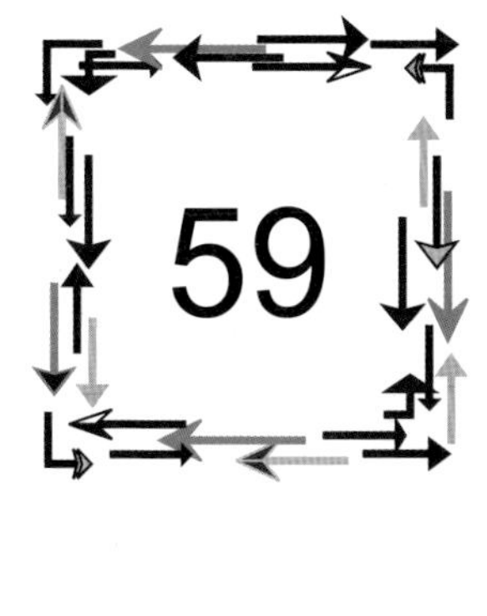

D

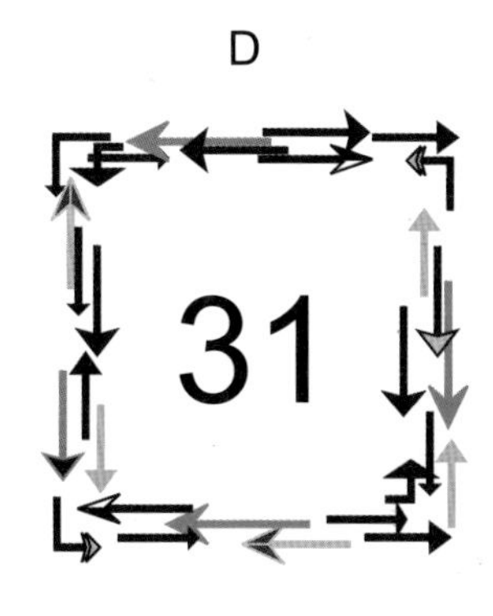

57 fifty-seven

答案：97

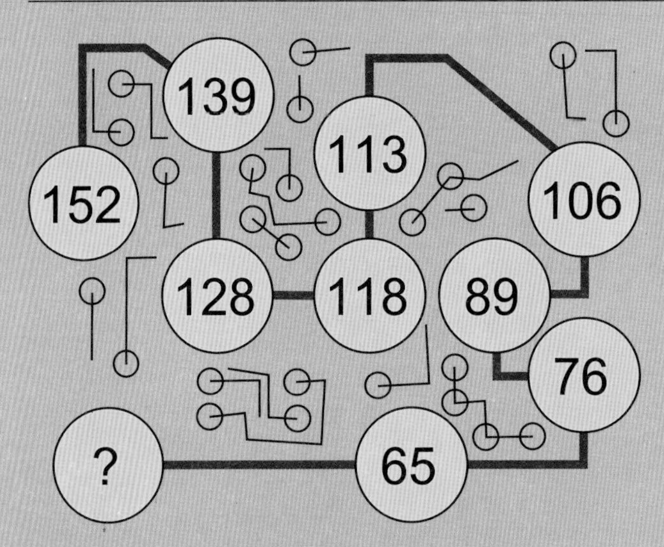

如左图所示，问号处应由什么数字替代？该数字即为下一个指令。

58 fifty-eight

你的下一个指令就隐藏在下面的数列中。

答案：97

下一个指令的十位数和个位数

▼	▼								
?	?	8	3	1	4	5	9	4	3
7	0	7	7	4	1	5	6	1	7
8	5	3	8	1	9	0	9	9	8

59 fifty-nine

答案：97

□ □ ★ ★ = ?

▲ ★ □ ● = 11

▲ ▲ ● □ = 9

● ● □ ★ = 9

★ ★ □ ● = 13

▲ ★ □ □ = 12

如上图所示，先求出各个图案所分别代表的数字，然后做出第一行的加法算式，问号处的结果即为下一个指令。

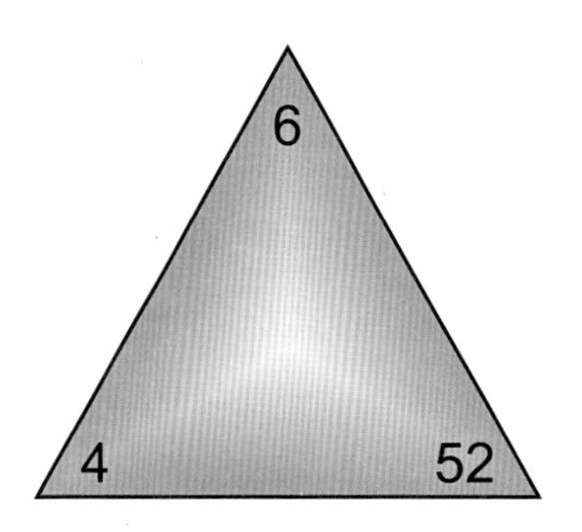

60 sixty

答案：97

根据已知条件判断，问号处应该用什么数字代替？只要将该数字减去20，你就能找到下一个指令。

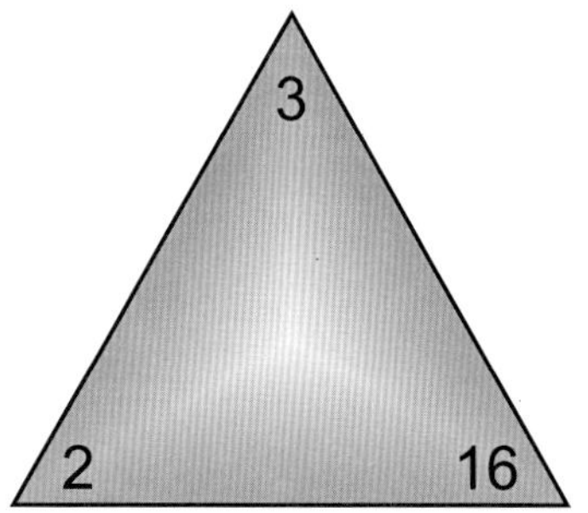

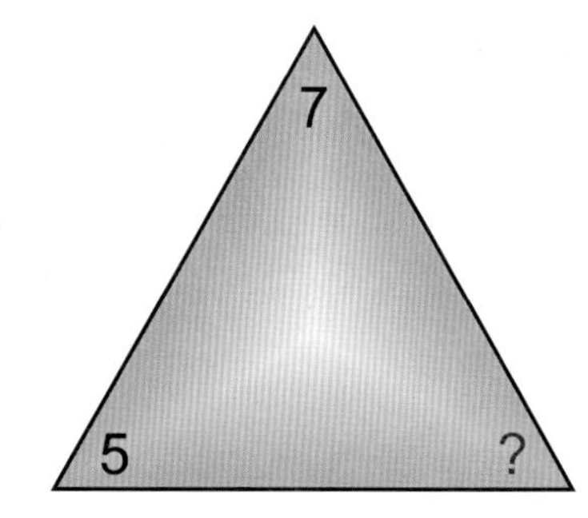

第二道密码之门

你冲破艾德里安的第二道防线了吗？

注意：一定要以正确的顺序解题——从A列到B列，逐个填入密码。

接着，将A列所有数值之和减去B列所有数值之和，所得结果就是第二节的最后密码了。将这个数字填在第156页的相应位置上，并以此作为你开始做第三节题目的序号。

现在，艾德里安已近乎发狂了，因为它绝没想到你会有如此超强的忍耐力！你能继续坚持下去吗？

A 列	B 列

第二回合密码

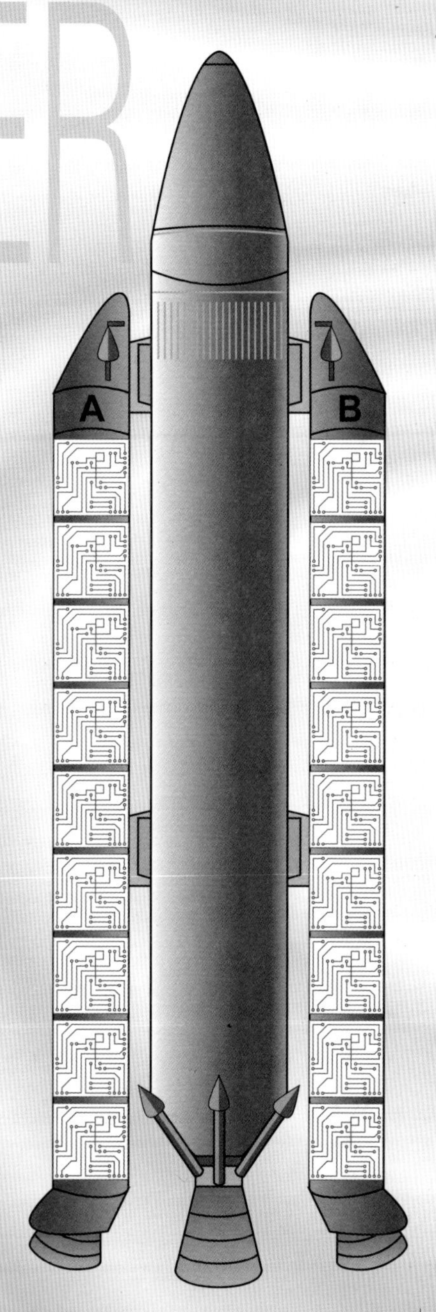

Answers 答案1–20

1. 问号处的数字是9。每3个数字连成一条直线，将每条直线上较小的数字乘以9后，其值即为该直线上的另一数字。转至第9题。

2. D图不同，它为其他图形的镜像，而其他图形则是旋转角度不同的同一图形。D图对应的指令是45。转至第45题。

3. 图中共有30个大的立方体。30×64=1920（小立方体的数量）。最后两位数是20；20+28=48。转至第48题。密码3。

4. 两个数字是14和18。14×14=196，18×18=324，324+196=520。18+14=32。转至第32题。

5. 两个数字是1234和2345。1234的最后两位数是34，34－（3+4）=27。转至第27题。

6. 右图中的圆点少了5个。对应的指令是13。转至第13题。

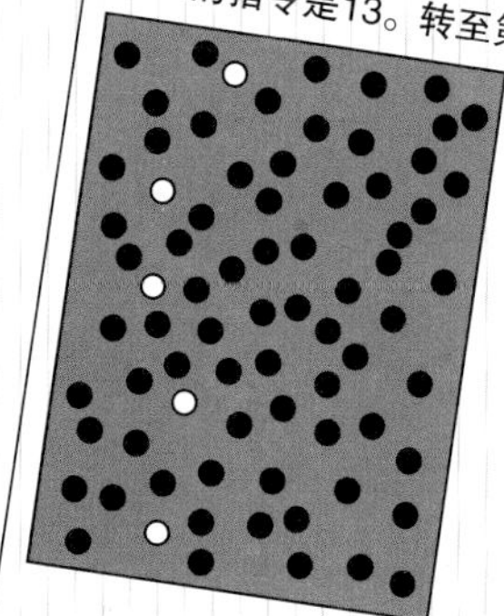

7. A图不同，该图是其他图形的镜像，而其他图形则是旋转角度不同的同一图形。A图对应的指令是60。转至第60题。密码4。

8. 最右边齿轮以逆时针方向旋转，球会落入A槽。转至第22题。

9. 如图所示。126－119=7。转至第7题。

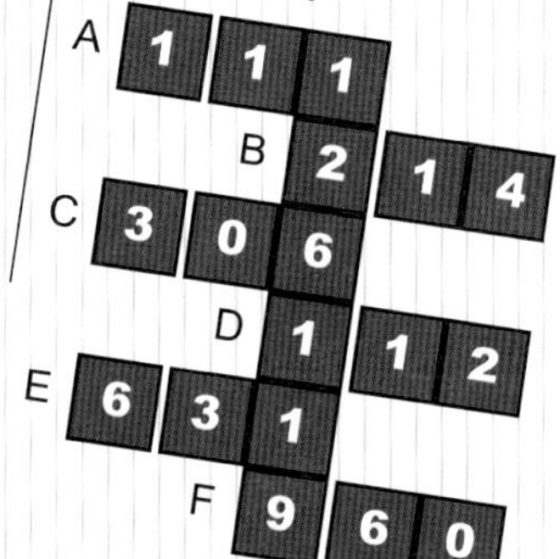

10. 因为在A图里共放置了26个球，故有26个不同之处。$13+26=39$。转至第39题。

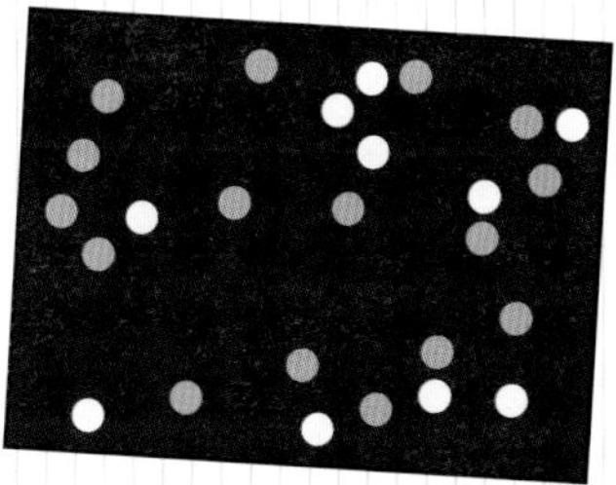

11. 在圆形里有四个5。$5+5+5+5=20$，$20-20=0$。恭喜你，你已顺利通过艾德里安设下的第二道防线。现在，请翻至“第二道密码之门”页。密码5。

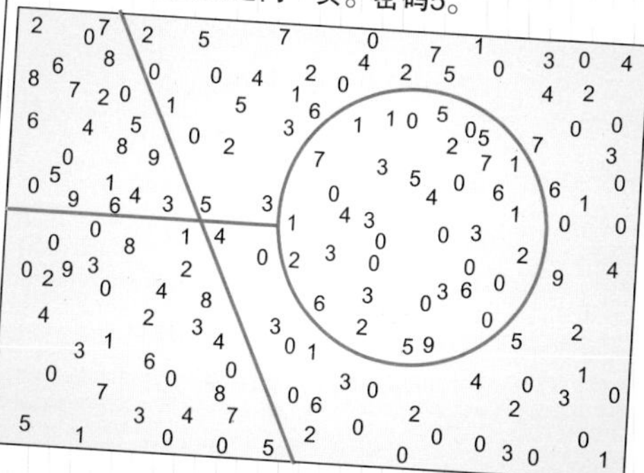

12. 代码是60。每个数字都比前一个数字大9。所以$Q=60$。$60-1=59$。转至59题。

13. 18。八进制的144－八进制的122＝八进制的22。八进制的22＝十进制的18。八进制中的数字中最大的是7，所以十进制的8＝八进制的10，十进制的16＝八进制的20。加上2得出十进制的18＝八进制的22。转至第18题。

14. D项。外部的图形改变了形状，内部的图形则改变了方向。转至第41题。

15. 10。有68枚火箭。$68-58=10$。转至第10题。密码6。

16. 两个数字是16和43。$16+43=59$。$16\times16=256$，$43\times43=1849$，$256+1849=2105$。$16+9=25$。转至第25题。

17. D选项不同。只有这个方格里的数字相加起来不等于23，而是24。$24-1=23$。转至第23题。

18. 反写的数字是8（只有这个数字正写和反写看起来一样）。$8-5=3$。转至第3题。

19. A。每一行的前5个图案与后5个图案完全一样。与A选项对应的指令是11。转至第11题。密码1。

20. E。其他选项的数字都是23递增的倍数，例如：$A=23\times6$；$B=23\times7$，等等。但E项中的数字不等于按照规律应该得出的23×10。E项对应的指令是26。转至第26题。

Answers 答案21–35

21. C图不同。如图所示，在圈出部分中少了一个小三角形。C图对应的指令是52。转至第52题。

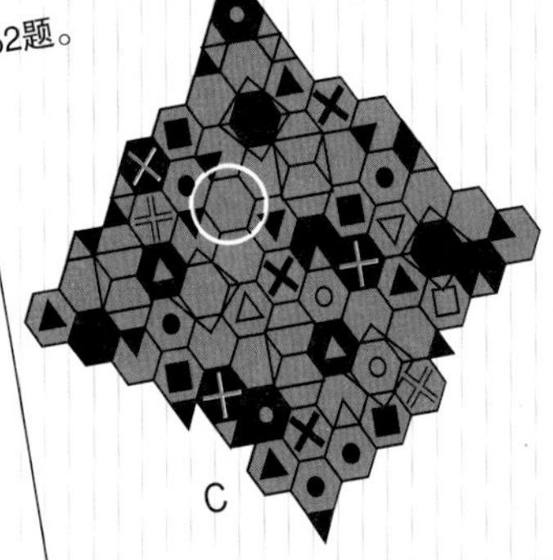

22. 15。从第一行左边开始，第一行的相邻两个数字之和＋第三行相应的相邻两个数字之和＝中间一行相应的相邻两个数字之和。即：17＋8＋32＋21＝78（60＋18），8＋12＋21＋33＝74（18＋56），等等。所以，34＋2＋7＋15＝58（52＋6）。转至第15题。密码9。

23. 19。19×2＝38，38＋8－4＝42，42÷7＝6，6^2＝36，36＋4＝40，40－30＝10，10×10＝100；100即为紧接在81后面的下一个完全平方数。转至第19题。

24. B。它是其他三图的镜像，其他的图形则是旋转角度不同的同一图形。B项对应的指令是12。转至第12题。

25. 31。

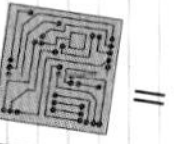
＝10；

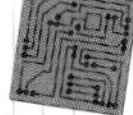
＝27；

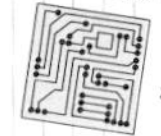
＝31。

所以3个 ＋1个 ＋1个 ＝122。122－91＝31。转至第31题。

26. D选项不同。其他各项均为旋转角度不同的同一图形，而D项中的一个菱形错位了。如图所示，圆圈处菱形应向下移一位。转至第16题。密码7。

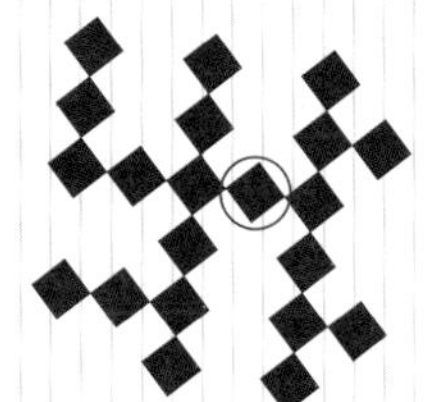

27. A选项不同。只有这个选项的数字不是完全平方数。转至第24题。

28. 有39个小六角星和17个大六角星。39＋17＝56。转至第56题。密码8。

29. 最小部分中最少出现的字母是i。i的指令是17。转至第17题。

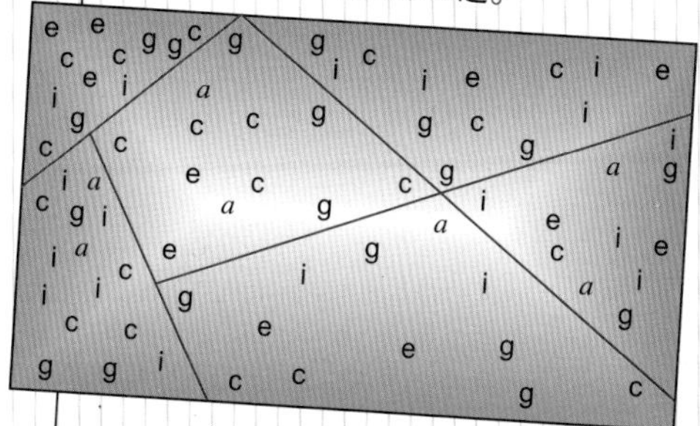

30. B图不同。如图所示，圈出的部分互相变换了位置。其他的图形则均为旋转角度不同的同一图形。B图的指令为38。转至第38题。密码2。

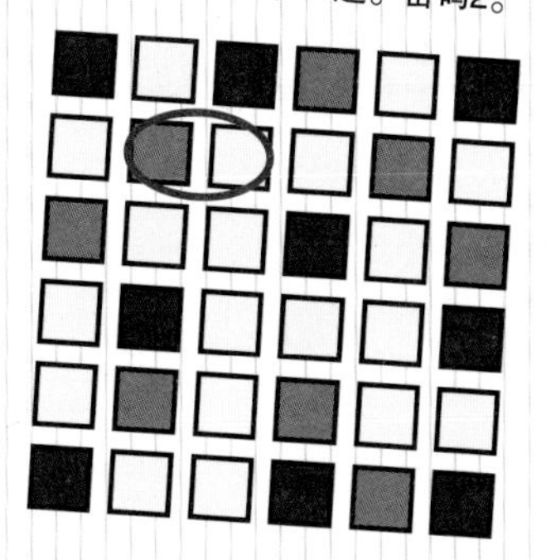

31. A＝12；B＝38。指令＝38－4＝34。转至第34题。

32. 20。如下表所示，从A＝13开始，推算出其他字母的数值，即可解开指令：PASSCODE＝28＋13＋31＋31＋15＋27＋16＋17＝178。178 ÷ 8.9＝20。转至第20题。

13	14	15	16	17	18	19	20	21
a	b	c	d	e	f	g	h	i

22	23	24	25	26	27	28	29	30
j	k	l	m	n	o	p	q	r

31	32	33	34	35	36	37	38
s	t	u	v	w	x	y	z

33. A图不同。箭头所指的地方比其他图形少一个点。转至第6题。密码4。

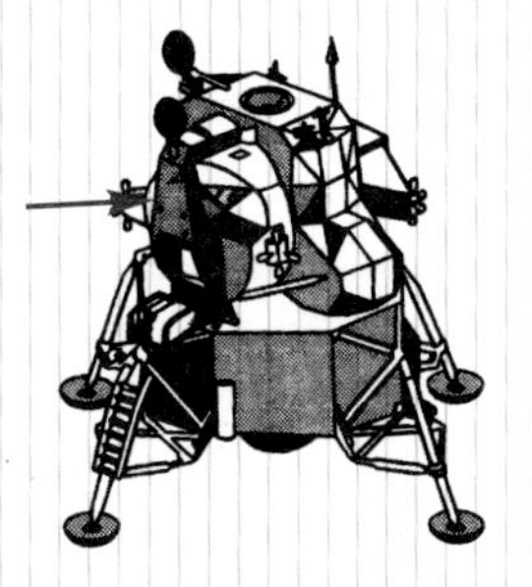

34. 8。次方根为16777216，即为8的8次方。转至第8题。

35. D选项可以折成题中已给出的立方体。转至第42题。

Answers 答案36–47

36. 21。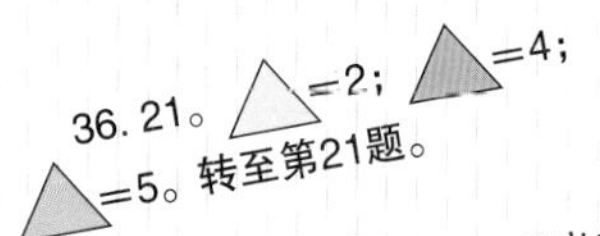=2；=4；=5。转至第21题。

37. C选项不同。下图圈出的虚线在图中丢失，而其他图形都是旋转角度不同的同一图形。转至第33题。密码7。

38. 如图所示，中间的数字是25。$2\times25=50$。转至第50题。

30	39	48	1	10	19	28
38	47	7	9	18	27	29
46	6	8	17	26	35	37
5	14	16	25	34	36	45
13	15	24	33	42	44	4
21	23	32	41	43	3	12
22	31	40	49	2	11	20

39. A选项不同。如下图所示，加粗处的框格缺失了。其他选项则均是旋转角度不同的同一图形。转至第51题。

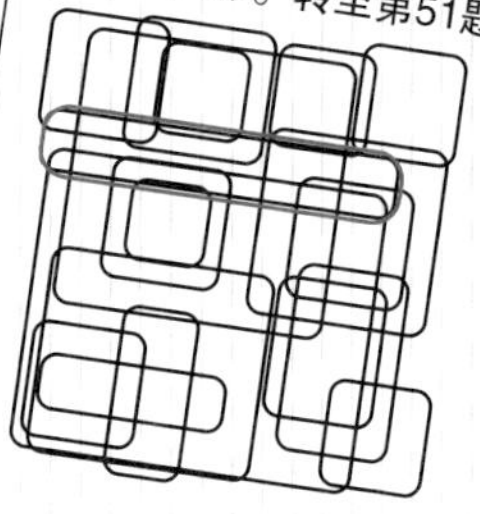

40. 问号处的数字是2。在每一项中，左上角的两个数字与右下角的两个数字的乘积，都等于中间的三位数。如：$23\times15=345$；$18\times19=342$；$41\times17=697$。因此，$33\times25=825$。$2+45=47$。转至第47题。

41. 距离是$7^2+10^2=149$。最后两位数是49。转至第49题。密码3。

42. C选项不同。圈出的两个部分变换了位置。其他选项都是旋转角度不同的同一图形。转至第40题。

43. 在含有数字最少的那部分里有8个数字。8+21=29。转至第29题。

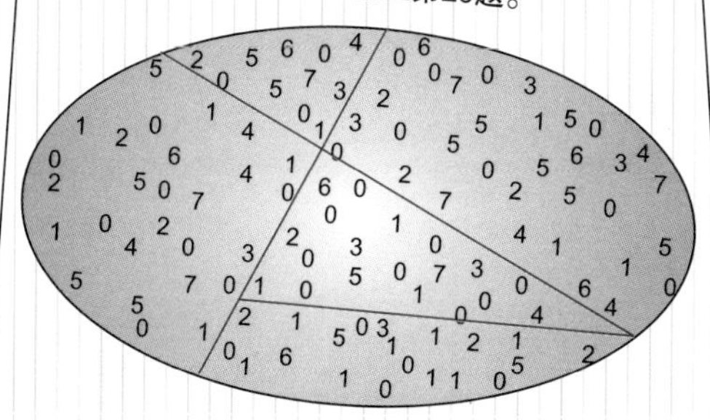

44. 如图所示，算式是156478+279501=435979。转至第37题。密码2。

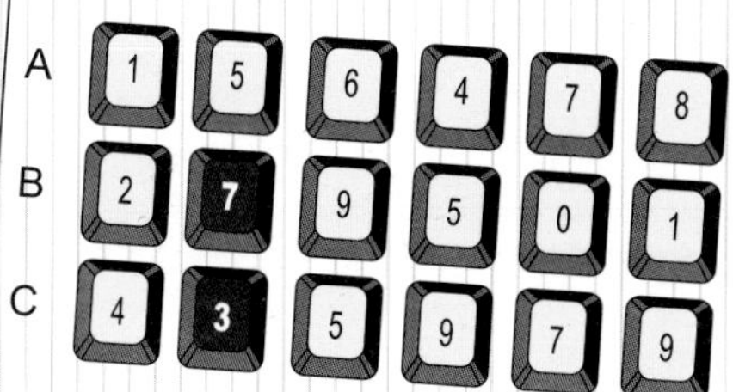

45. 图为避免掉入陷阱的惟一一条路线，而且该路线所经过的数字之和是376，如下图所示。55−54=1。转至第1题。

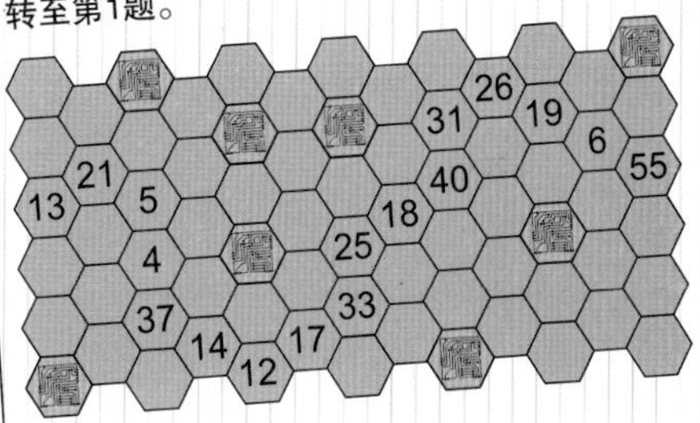

46. B选项不同。该图是其他图形的镜像，而其他图形则是旋转角度不同的同一图形。对应口令为4。转至第4题。

47. D选项不同。图中圆圈部分即为不同之处。对应指令为57。转至第57题。密码1。

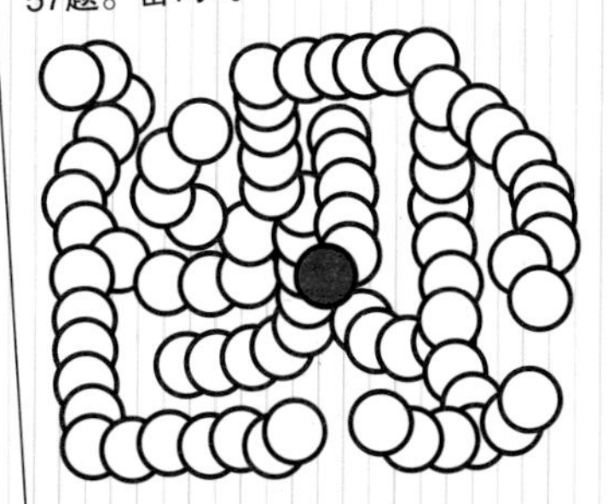

Answers 答案48-60

48. 58。各图案所代表的数字如图所示。两组算式分别是：23580＋61479＝85059和61479－23580＝37899。转至第58题。

49. 46。7＋4＋5＋3＋2＋8＋6＋5＋6＝46。转至第46题。

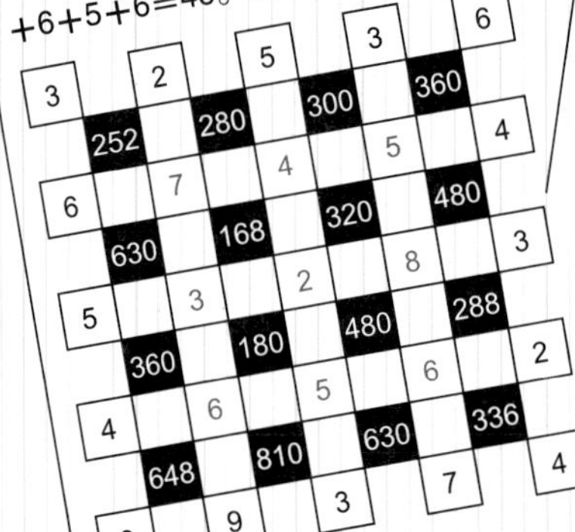

50. B和C。指令是36。转至第36题。

51. C选项不同。在其他立方体中，上面的数字＋前面的数字－旁边的数字＝72，但在C选项中，则为71。转至第53题。密码5。

52. 44。共有65个圆圈和21个星星。转至第44题。

53. 30。砝码的位置如图所示，其下方的数字是10。左边的重量为：7×6＝42；右边的重量为：3×4（12）＋10×3（30）＝42。3×10＝30。转至第30题。

54. 5。每一个部分中，A列＋B列＝C列，147+328=475。转至第5题。密码6。

55. 完成后的魔方如下图所示。中间方格的数字是13。2×13=26；26+2=28。转至第28题。

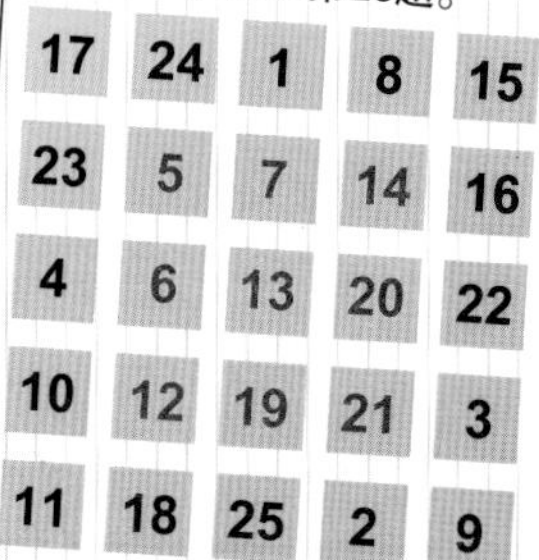

17	24	1	8	15
23	5	7	14	16
4	6	13	20	22
10	12	19	21	3
11	18	25	2	9

56. B选项不同。如图所示，与其他图形相比，该选项内箭头所指之处旋转了180度。转至第43题。

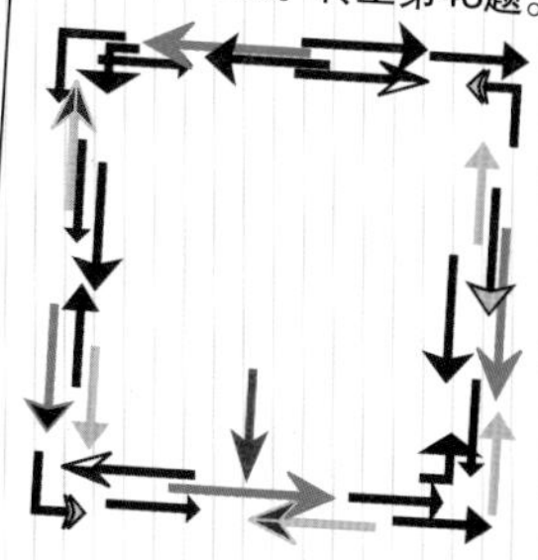

57. 55。从问号处所代表的数字开始，将每一个数字拆开后相加，再将得数与原数字本身相加，就会等于下一个数字：55+10=65；65+11=76；76+13=89，等等。转至第55题。密码8。

58. 35。缺少的数字是3和5。前两个数字相加后去掉十位数，就是下一个数字，所以3+5=8；8+5=[1]3，等等。转至第35题。

59. 14。▲=3，★=5，□=2；●=1。2个□+2个★=14。转至第14题。

60. 54。在每一个三角形中，上面的数字和左下角的数字的乘积翻倍后，再加上4，即等于右下角的数字。5×7×2+4=74。74−20=54。转至第54题。密码2。

第二节的解题顺序（括号内的数字为密码）

2→45→1→9→7（4）→60（2）→54（6）→5→27→24→12→59→14→41（3）→49→46→4→32→20→26（7）→16→25→31→34→8→22（9）→15（6）→10→39→51（5）→53→30（2）→38→50→36→21→52→44（2）→37（7）→33（4）→6→13→18→3（3）→48→58→35→42→40→47（1）→57（8）→55→28（8）→56→43→29→17→23→19（1）→11（5）→0（“第二道密码之门”页）

第二节的最后密码：44−39=5。下一节从第5题开始做起。

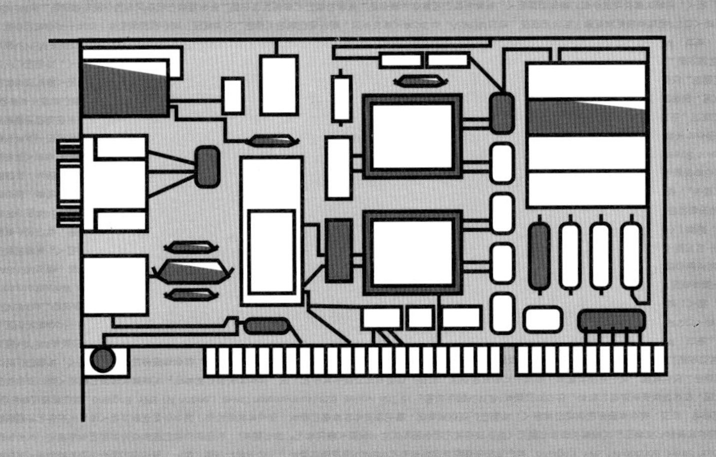

ZHONGJI

HUMAN VS COMPUTER

终极较量

The decisive battle

使情况变得更复杂的是，每个人对虚拟现实空间的理解都各不相同。比如，如果你现在正在看这本书，你的注意力就会集中在这本特定的书上。你可能满心以为自己只不过是在看书，但事实上，艾德里安这时已经悄悄地控制了你的身体，并开始检验和测试你的忍耐力。

不过，有一点令人欣慰的是：艾德里安可能低估了人类智慧的力量。说不定有人（也许就是你）能把握机会解决这些复杂的环环相扣的难题。但要注意的是：如果你的任务失败了，艾德里安将会把你的身体变成一个方块，和其他失败者堆在一起，使你终日寂寞难耐。

AOLIANG

1 one

答案：146

下面A、B、C、D4幅图中，哪一幅与顶端的图形最为密切？请据此找出相应的指令。

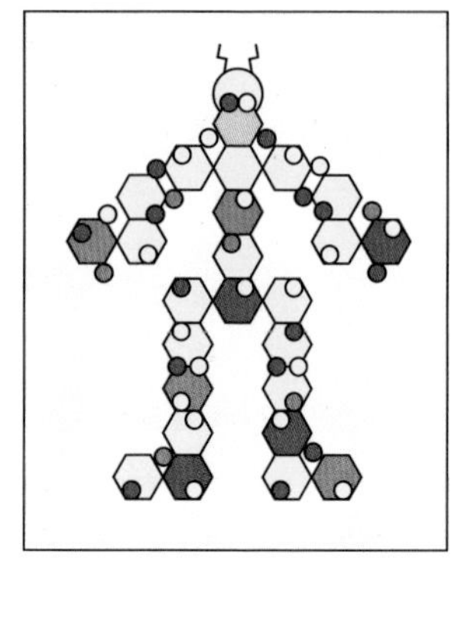

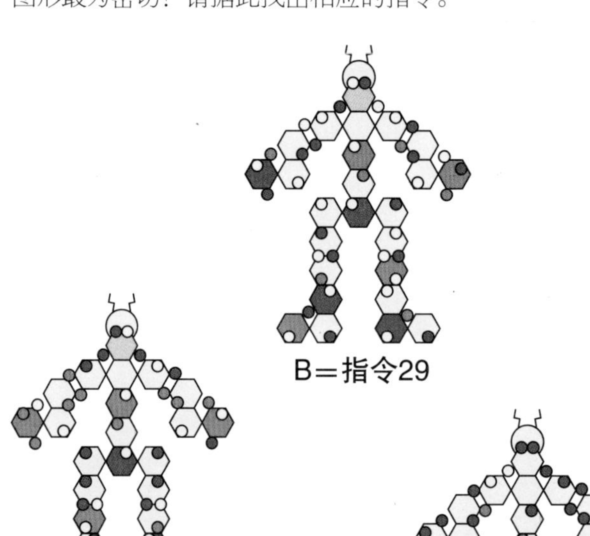

B＝指令29

A＝指令19

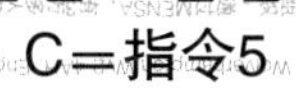

C＝指令5

D＝指令55

2 two

答案：146

下面的数列中，隐藏着一个乘法算式，其中有一个乘数是六位数。由这个六位数的十位数和个位数所组成的数字，即为下一个指令。

3 three

答案：146

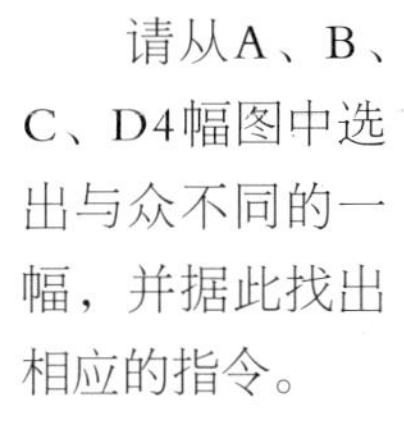

请从A、B、C、D4幅图中选出与众不同的一幅，并据此找出相应的指令。

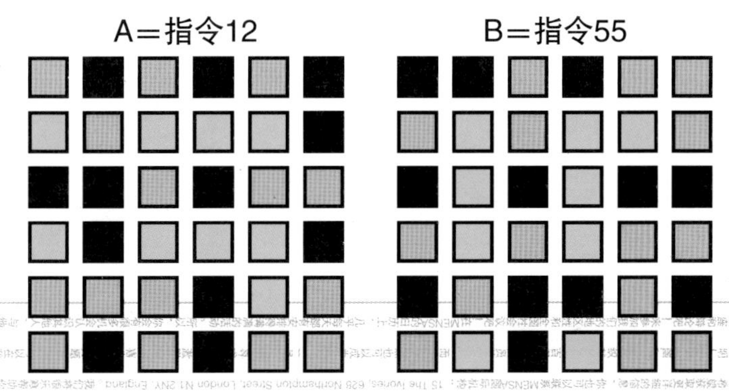

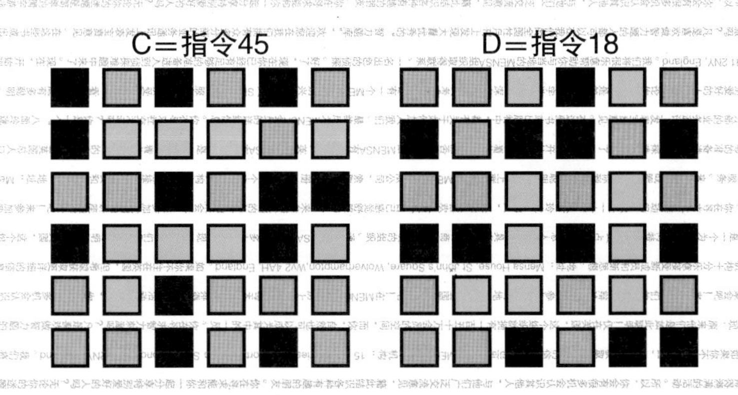

4 four

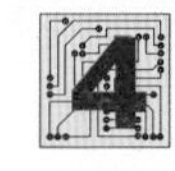

答案：146

如下图所示，将圆形的数量减去交叉形的数量，就会得到下一个指令。

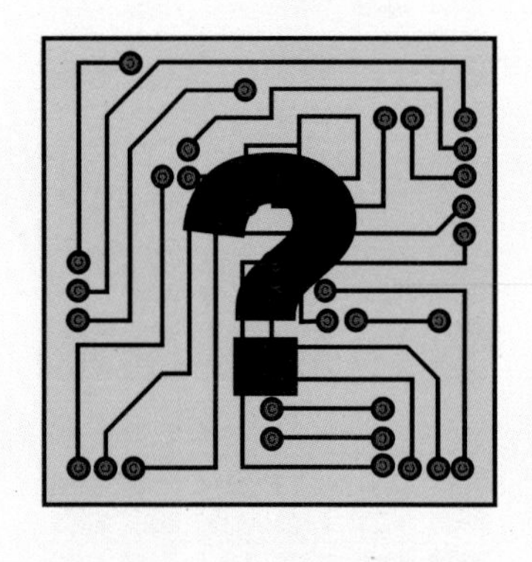

5 five

答案：146

你的下一个指令是这样得出来的：将它乘以2再加上2，然后除以10后加上13，接着将结果除以4，最后平方，得25。

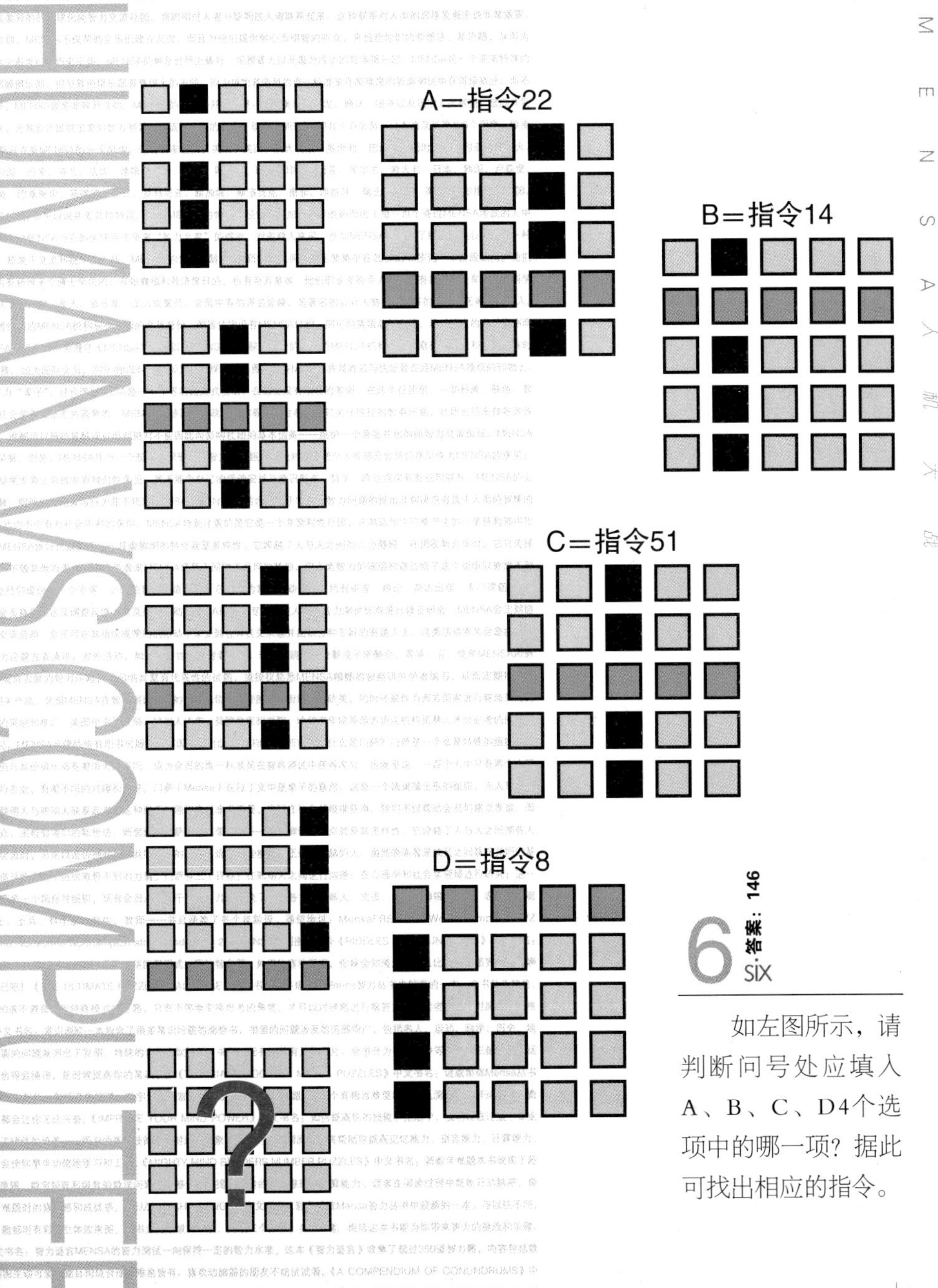

6 SIX

答案：146

如左图所示，请判断问号处应填入A、B、C、D4个选项中的哪一项？据此可找出相应的指令。

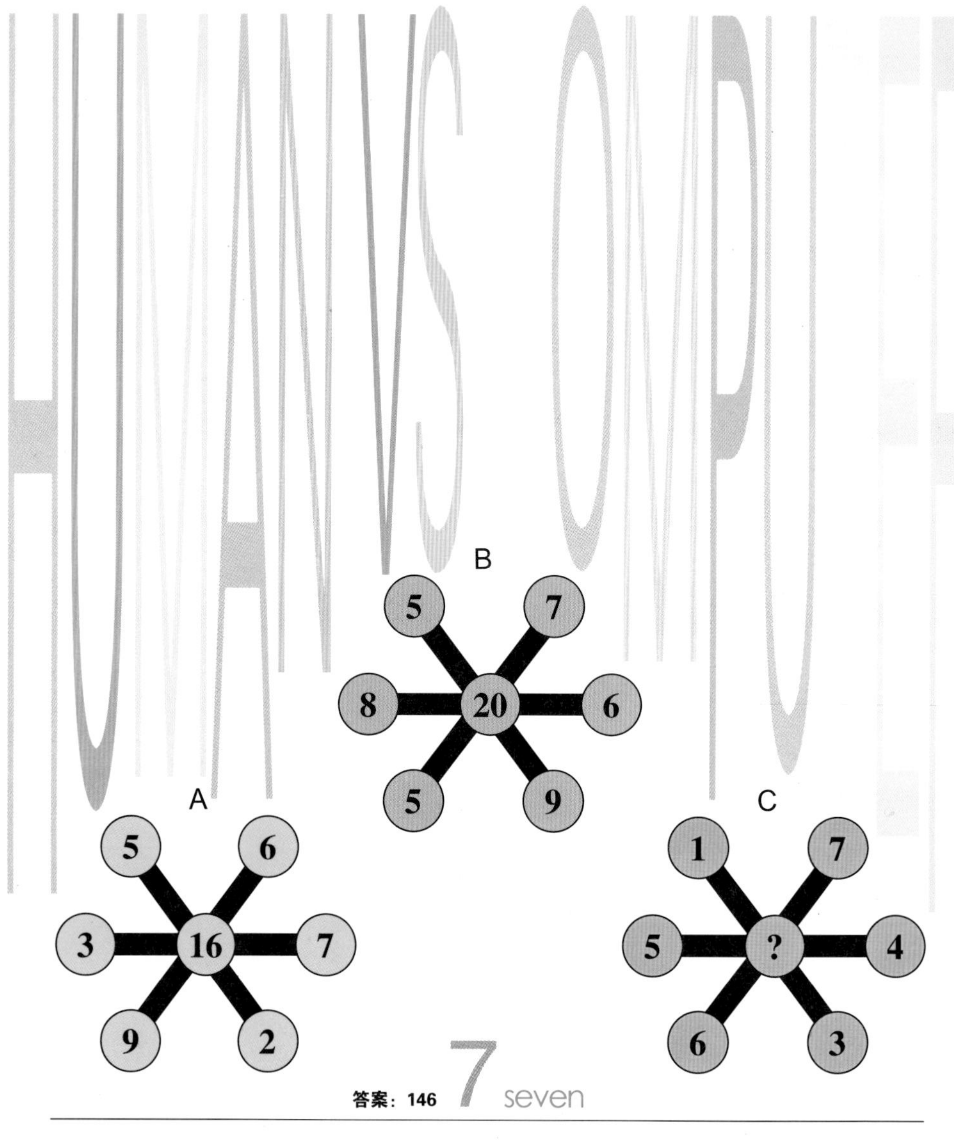

答案：146

7 seven

根据上面所给出的已知条件，判断问号处应由什么数字替代——该数字即为下一个指令。

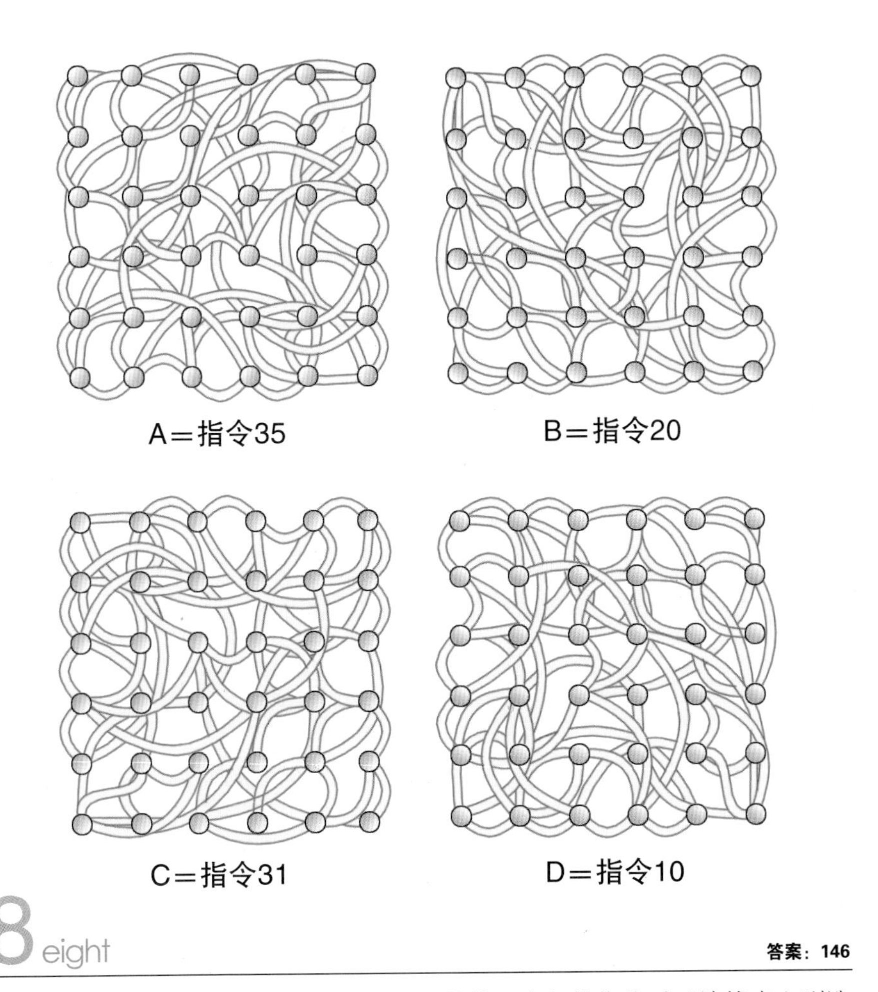

8 eight

答案：146

因为自认为这一题设置得太巧妙了，艾德里安坚信你绝对无法找出上列选项中与众不同的一项，所以“他”决定给你提供一条线索——该选项的图形中多了一条线。请据此找出相应的指令。

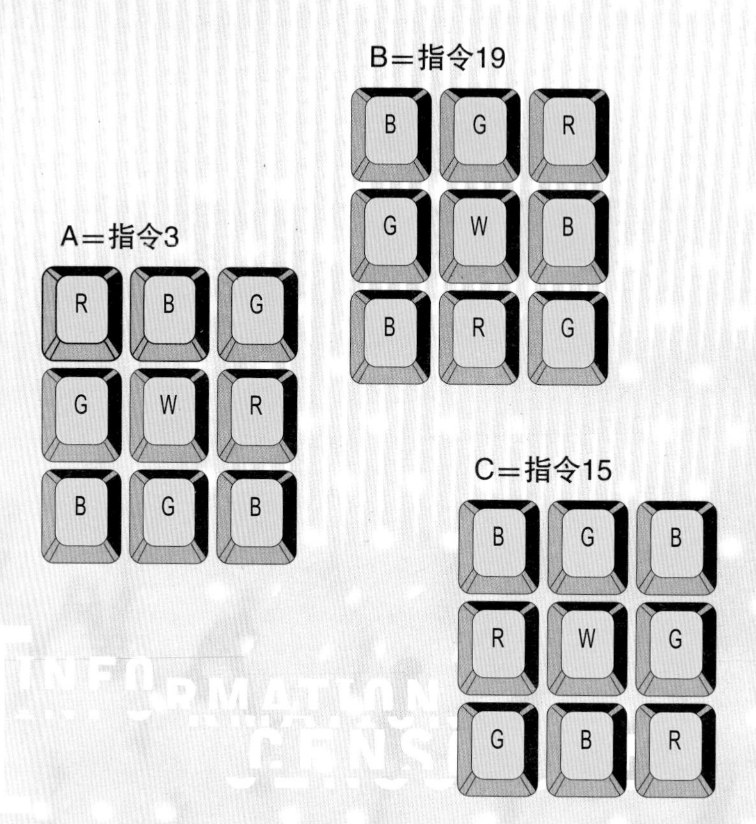

9 nine

答案：146

请从A、B、C、D4个选项中选出与众不同的一项，并据此找出相应的指令。

10 ten

答案：146

A、B、C、D4个立方体中，有一个与其他三个不同，请把它找出来。你的下一个指令就是该立方体正面的数字。

A

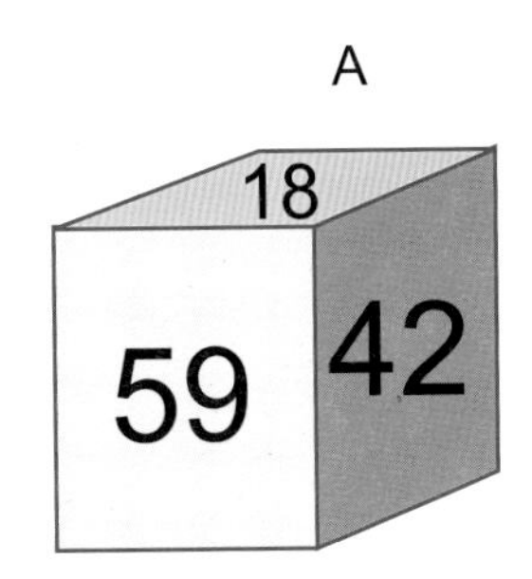

B

31
54
34

C

19
49
52

D

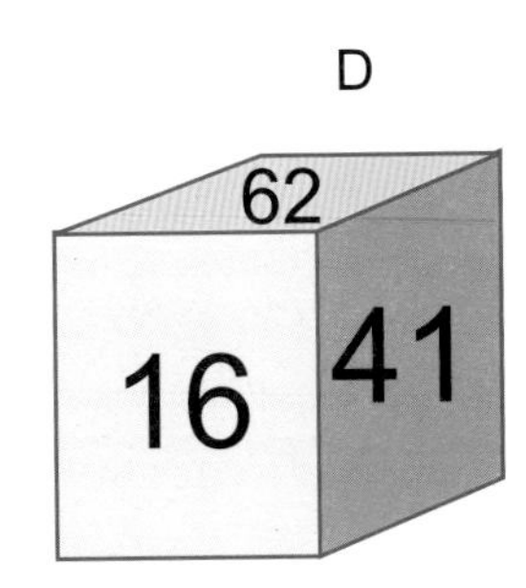

你在寻求社交活动吗？你是一个“八面玲珑”的人，还是只喜欢认识令自己感觉舒服的人？来参加我们的舞会和聚会吧！来参加我们的讲座和辩论吧！来参加我们的地区性和全国性会议吧！在
A的日历上，几乎每天都有安排得满满的活动。所以，你会有很多机会认识其他人，与他们广泛交流意见，籍此结识各种有趣的朋友。你在寻求能和你一起分享特别爱好的人吗？无论你的迷题是简单
游戏还是深奥的埃及考古学，都有一个MENSA特别兴趣小组（SIG）为之服务。来接受挑战吧，看看你到底有多聪明。请马上联系英国MENSA有限公司，索取免费手册，我们这个高智商机构十分乐
新成员和新思想。地址：Mensa House, St John's Square, Wolverhampton,Wv2 4AH, England。如果你不住在英国，但希望获取更详细的信息，你也可以联系MENSA国际机构：15 The Ivories,
rthampton Street, London N1 2NY, England。

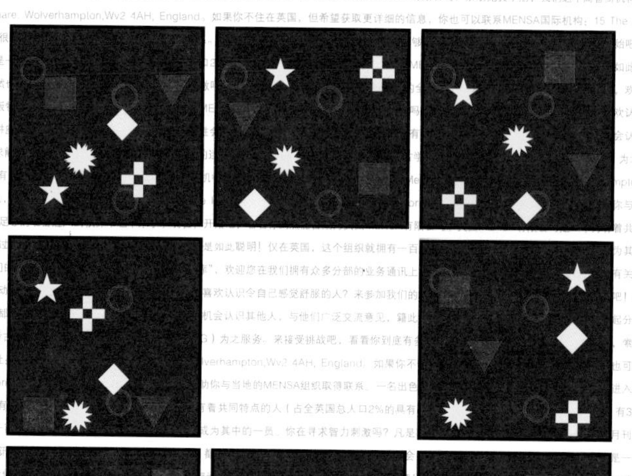

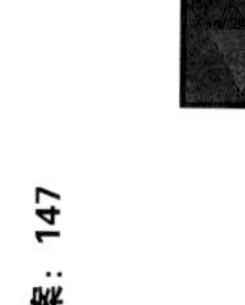

11 eleven

答案：147

为了找出逃出虚拟现实空间的下一个指令，你必须从A、B、C、D中选出一组图案，将上图中空白的方格填满。

A＝指令18

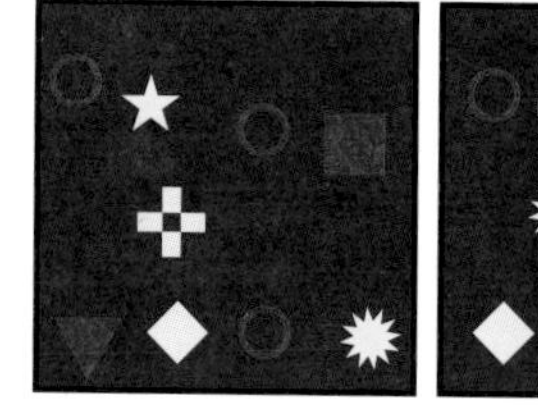

B＝指令44

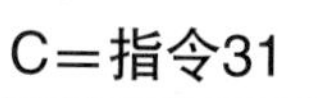

D＝指令46

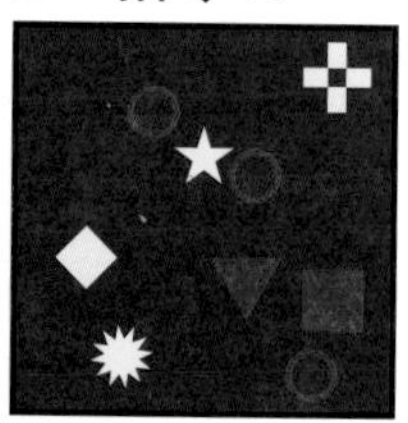

12 twelve

答案：147

请根据已知条件，完成下面这个数列，以便找出下一个指令。

4	8	3	2
6	9	?	?
		十位数	个位数

多机会认识其他人，与他们广泛交流意见，籍此结识各种有趣的朋友。你在寻求能和你一起分享特别爱好的人吗？无论你的迷题是简单的猜字游戏还是深奥的埃及考古学，都有一个MENSA特别兴趣小组（SIG）为之服
英国MENSA有限公司，索取免费手册，我们这个高智商机构十分乐意接受新成员和新思想。地址：Mensa House, St John's Square, Wolverhampton,Wv2 4AH, England。如果你不住在英国，但希望获取更详细的信息
Northampton Street, London N1 2NY, England。我们将很乐意帮助你与当地的MENSA组织取得联系。一名出色的侦探。好了，现在你已经有足够的准备进入到侦探难题中来了。现在，开始吧！看看你到底能否成为英
共同特点的人（占全英国总人口2%的具有极高智商者）而设的组织。通过MENSA，有3万多人蓦然发现，原来他们是如此聪明！仅在英国，这个组织就拥有一百五十万会员的空间，而你，自然也可以成为其中的一员。
我们的全国性月刊上发现大量优秀的"智力题库"，欢迎您在我们拥有众多分部的业务通讯上发表宝贵意见。在这些书或出版物中，都有关于如何加入我们、最终成为MENSA会员的详细信息。你在寻求社交活动吗？你是
的人？来参加我们的舞会和聚会吧！来参加我们的讲座和辩论吧！来参加我们的地区性和全国性会议吧！在MENSA的日历上，几乎每天都有安排得满满的活动。所以，你会有很多机会认识其他人，与他们广泛交流意见
特别爱好的人吗？无论你的迷题是简单的猜字游戏还是深奥的埃及考古学，都有一个MENSA特别兴趣小组（SIG）为之服务。来接受挑战吧，看看你到底有多聪明。请马上联系英国MENSA有限公司，索取免费手册，我
Mensa House, St John's Square, Wolverhampton,Wv2 4AH, England。如果你不住在英国，但希望获取更详细的信息，你也可以联系MENSA国际机构：15 The Ivories, 628 Northampton Street, London N1 2NY, E
联系。一名出色的侦探。好了，现在你已经有足够的准备进入到侦探难题中来了。现在，开始吧！看看你到底能否成为英国MENSA有限公司。英国MENSA有限公司是一个为有着共同特点的人（占全英国总人口2%的具
蓦然发现，原来他们是如此聪明！仅在英国，这个组织就拥有一百五十万会员的空间，而你，自然也可以成为其中的一员。你在寻求智力刺激吗？凡是喜欢做智力题的人都可以在我们的全国性月刊上发现大量优秀的
宝贵意见。在这些书或出版物中，都有关于如何加入我们、最终成为MENSA会员的详细信息。你在寻求社交活动吗？你是一个"八面玲珑"的人，还是只喜欢认识令自己感觉舒服的人？来参加我们的舞会和聚会吧！来
会议吧！在MENSA的日历上，几乎每天都有安排得满满的活动。所以，你会有很多机会认识其他人，与他们广泛交流意见，籍此结识各种有趣的朋友。你在寻求能和你一起分享特别爱好的人吗？无论你的迷题是简单的
别兴趣小组（SIG）为之服务。来接受挑战吧，看看你到底有多聪明。请马上联系英国MENSA有限公司，索取免费手册，我们这个高智商机构十分乐意接受新成员和新思想。地址：Mensa House, St John
不住在英国，但希望获取更详细的信息，你也可以联系MENSA国际机构：15 The Ivories, 628 Northampton Street, London N1 2NY, England。我们将很乐意帮助你与当地的MENSA组织取得联系。一名出色的侦探。
现在，开始吧！看看你到底能否成为英国MENSA有限公司。英国MENSA有限公司是一个为有着共同特点的人（占全英国总人口2%的具有极高智商者）而设的组织。通过MENSA，有3万多人蓦然发现，原来他们是如此
，而你，自然也可以成为其中的一员。你在寻求智力刺激吗？凡是喜欢做智力题的人都可以在我们的全国性月刊上发现大量优秀的"智力题库"，欢迎您在我们拥有众多分部的业务通讯上发表宝

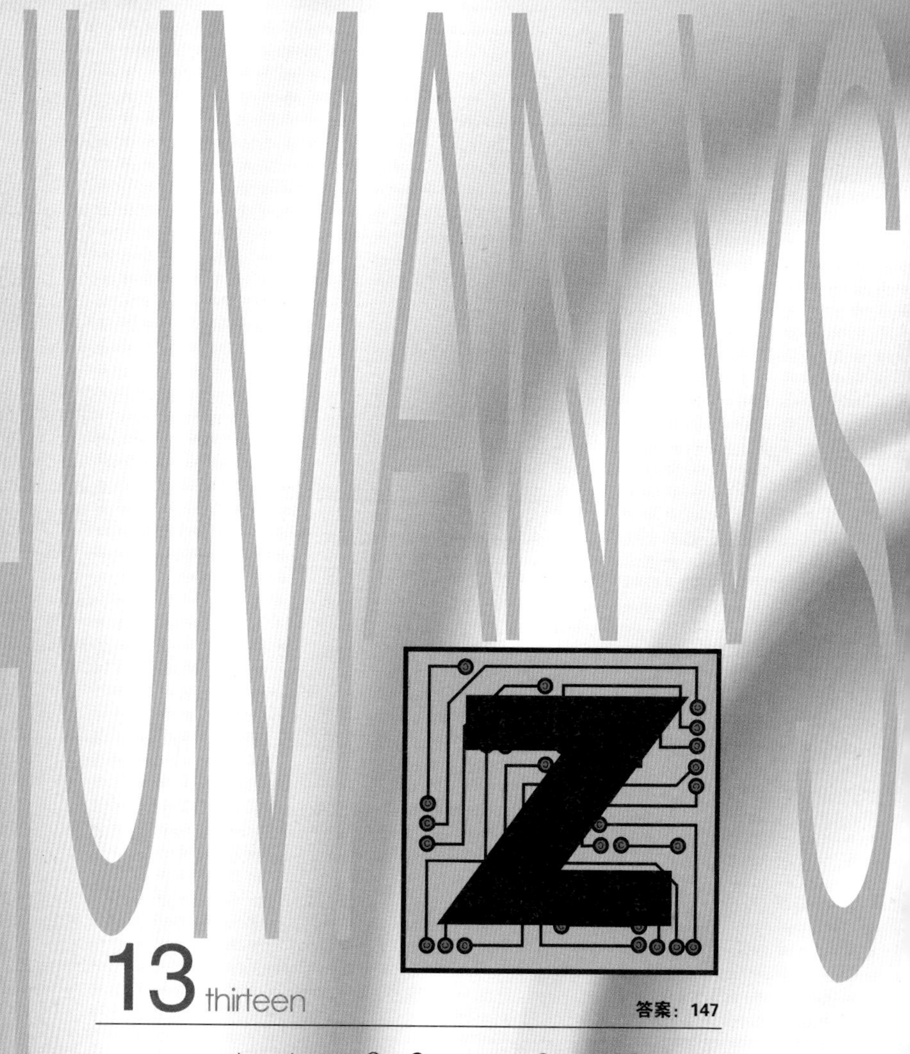

13 thirteen

答案：147

如果$x+y+z=9$，$2x+y+3z=19$，而且$xyz=24$，那么$z+7$的和，就是下一个指令。

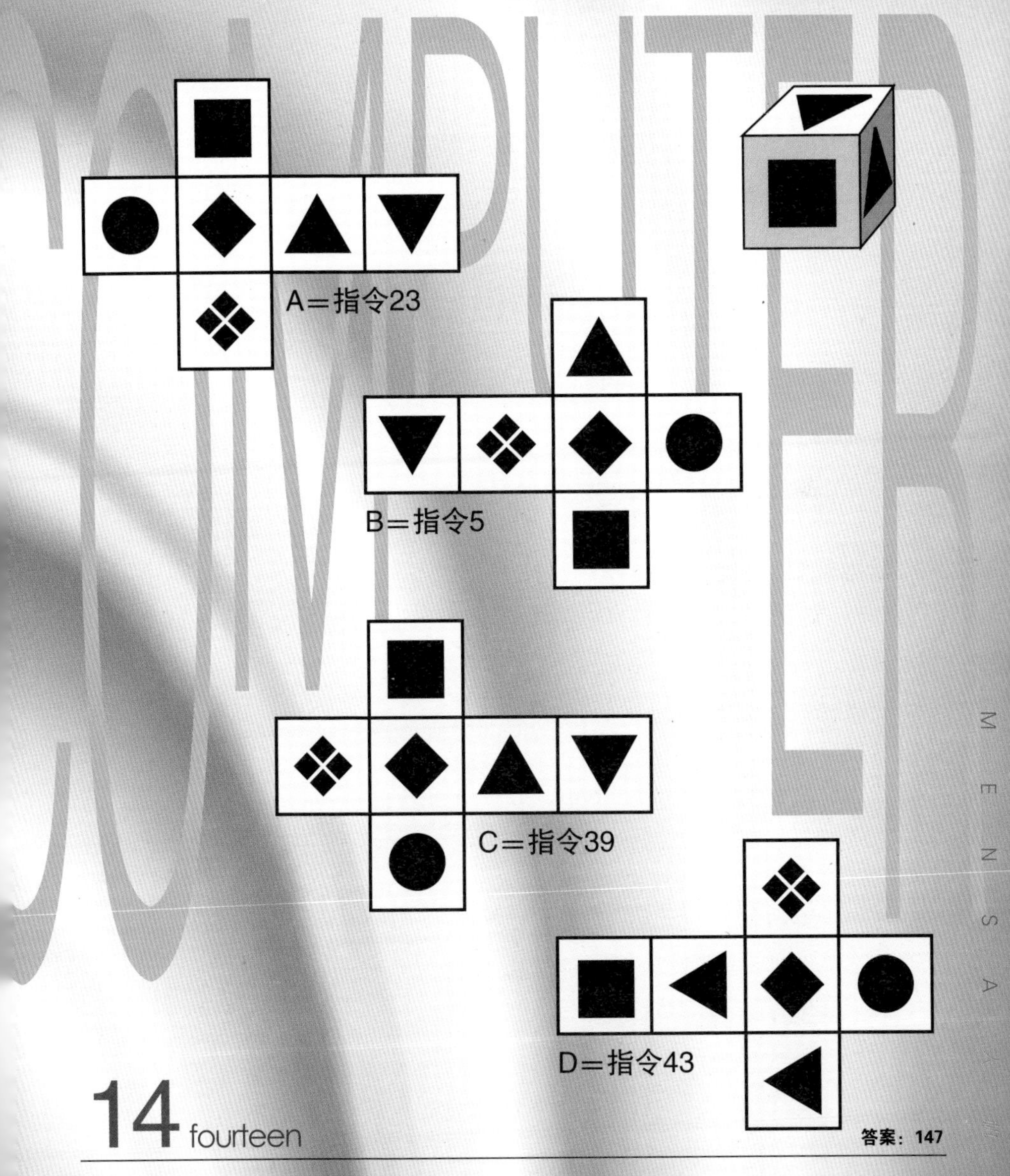

14 fourteen

答案：147

A、B、C、D 4 个平面图中，哪一个最终能折叠成右上角的立方体？请据此找出相应的指令。

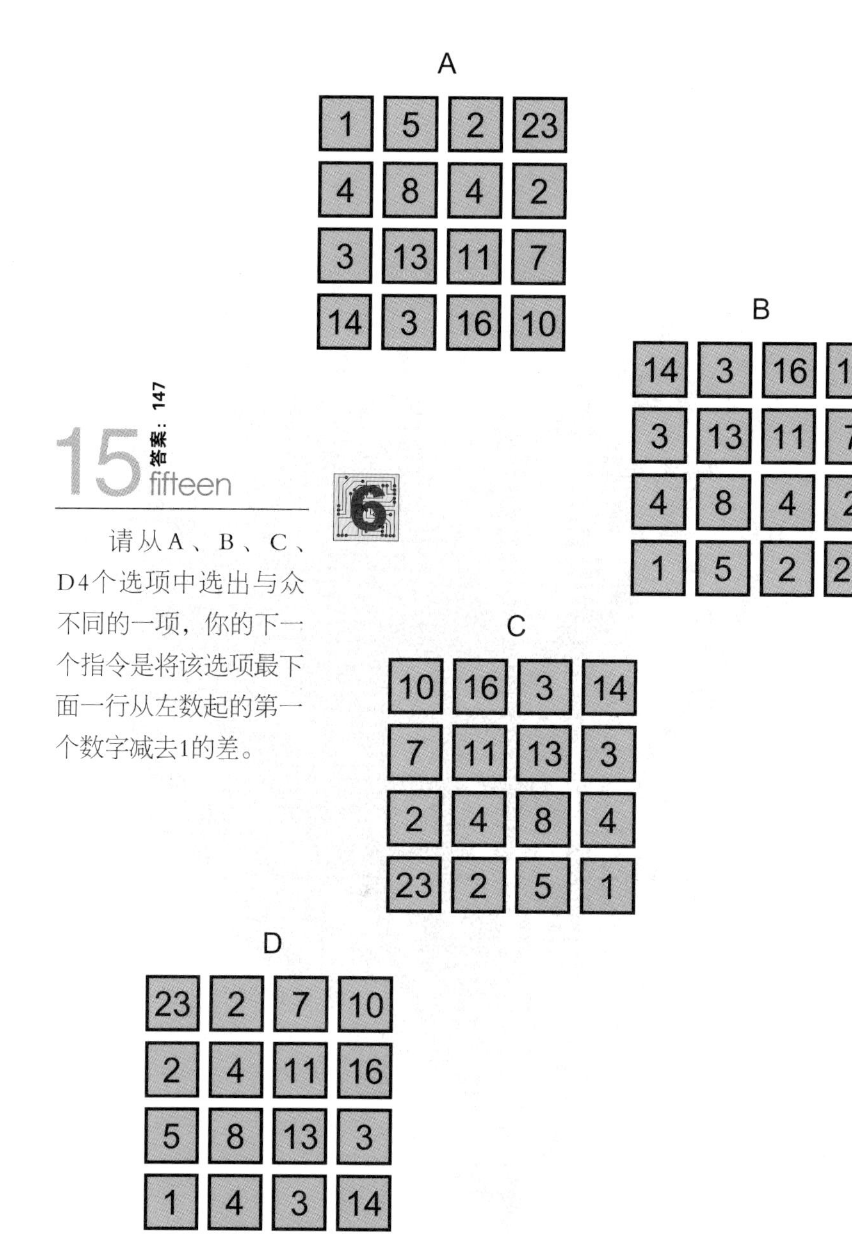

15 fifteen

答案：147

请从A、B、C、D4个选项中选出与众不同的一项，你的下一个指令是将该选项最下面一行从左数起的第一个数字减去1的差。

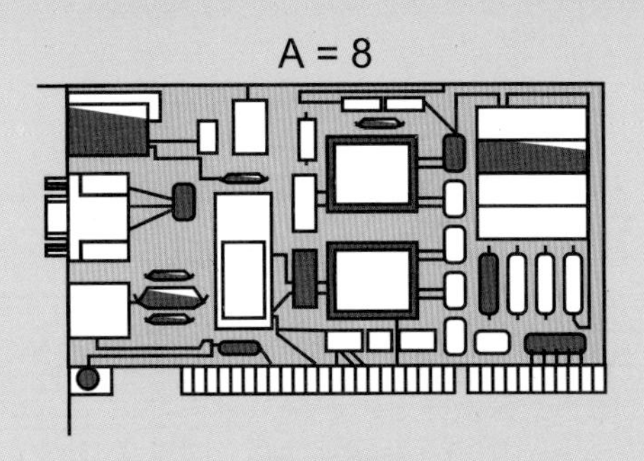

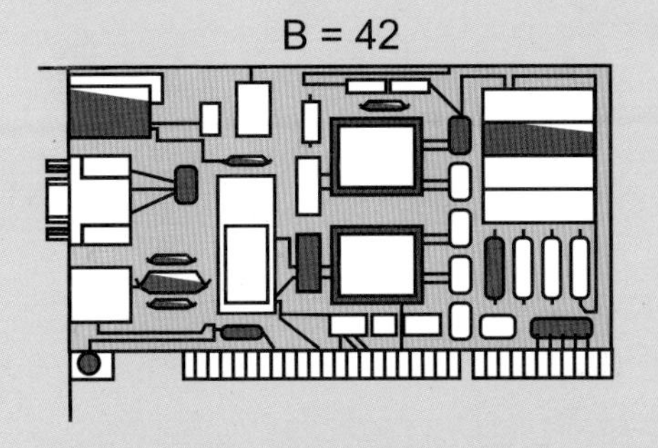

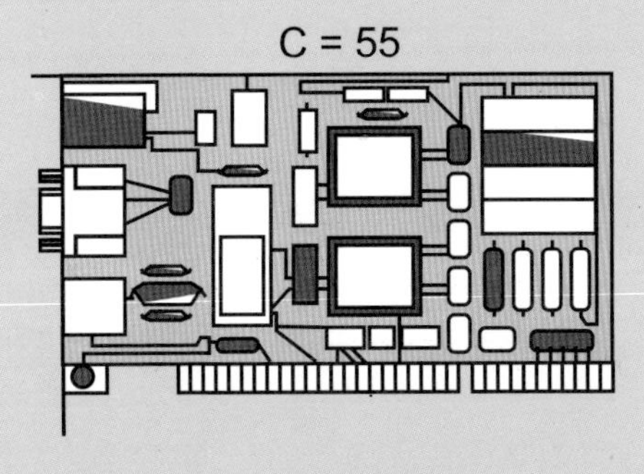

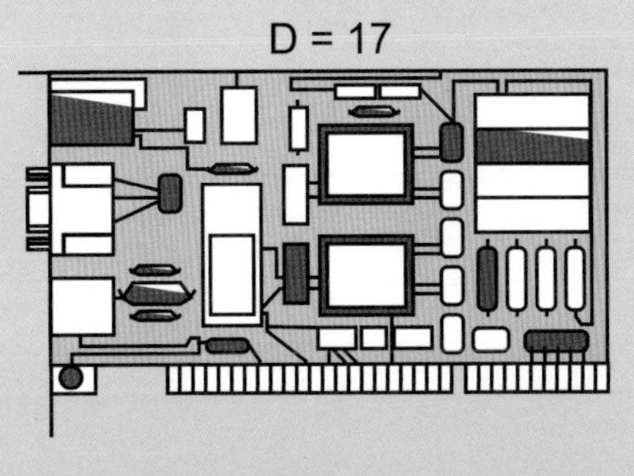

16 sixteen

答案：147

找出A、B、C、D4幅图中与众不同的一幅，你的下一个指令就出现了。

17 seventeen

答案：147

A = 29

B = 37

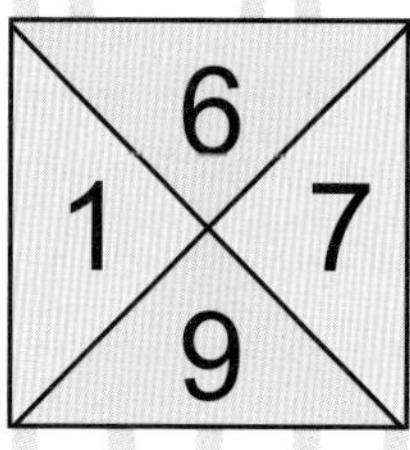

C = 28

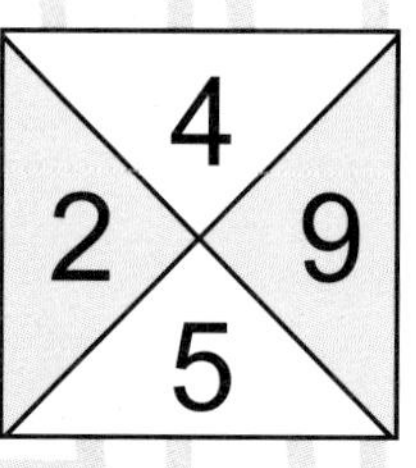

D = 7

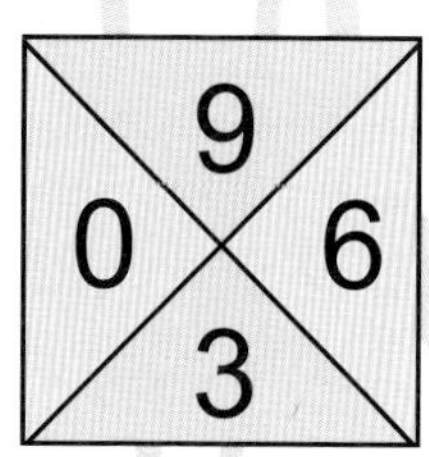

请从上面A、B、C、D4个选项中选出与众不同的一项，并据此找出相应的指令。

18 eighteen

答案：147

如果图形中间的数字既是指令，也是图形的一部分的话，那么，将右边四组数字中与众不同的一组中的指令减去20后，就是艾德里安所设置的巧妙谜题的下一个指令。

A

2	5	7	3
1	51		5
2			8
5	3	6	4

B

6	3	2	2
5	49		9
2			6
3	5	4	3

C

5	2	4	3
6	44		1
3			7
1	2	5	6

D

3	2	5	7
7	45		4
1			7
2	5	2	1

19 nineteen

答案：147

根据已知条件完成右边这个数列，问号处应替代的数字即为下一个指令。

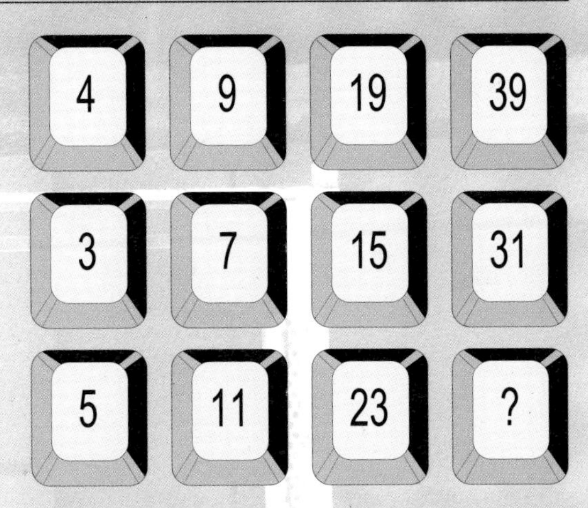

20 twenty

答案：147

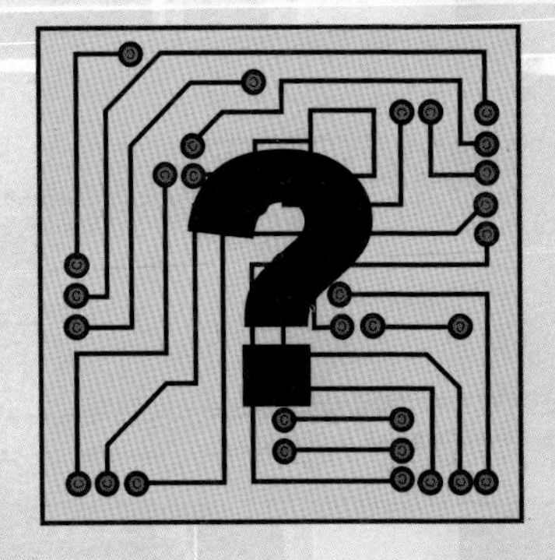

你的下一个指令是这样的：将该指令减去40后再平方，再加上10后除以2，然后乘以3，这个结果若被51减，所得之差会等于3乘以刚才被平方之数的积；其结果若被78减，则可得其结果本身。

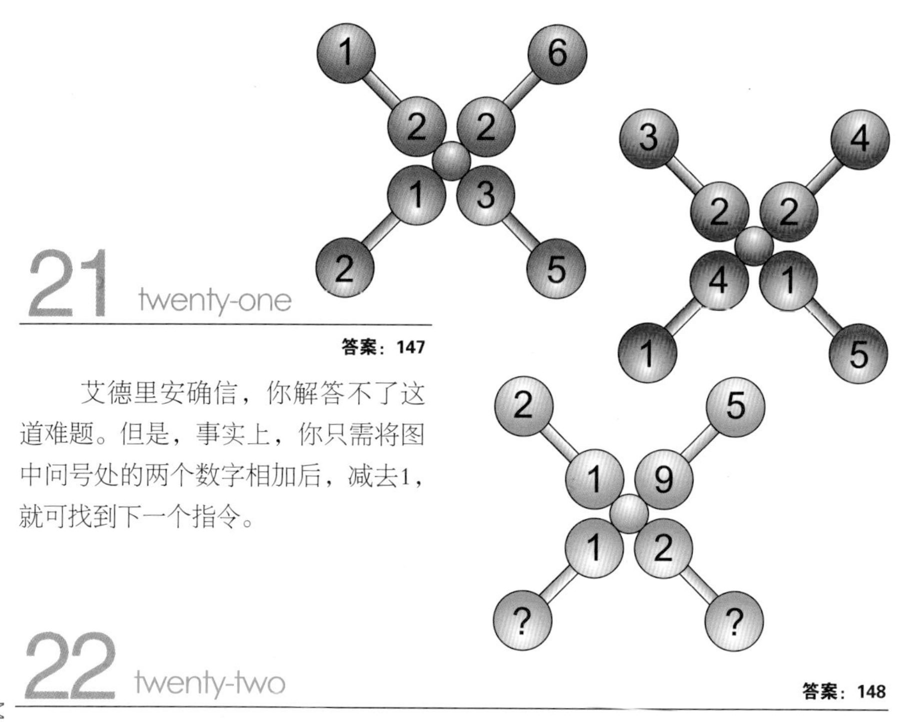

21 twenty-one

答案：147

艾德里安确信，你解答不了这道难题。但是，事实上，你只需将图中问号处的两个数字相加后，减去1，就可找到下一个指令。

22 twenty-two

答案：148

请从下面A、B、C、D4个选项中选出与众不同的一项，并据此找出相应的指令。

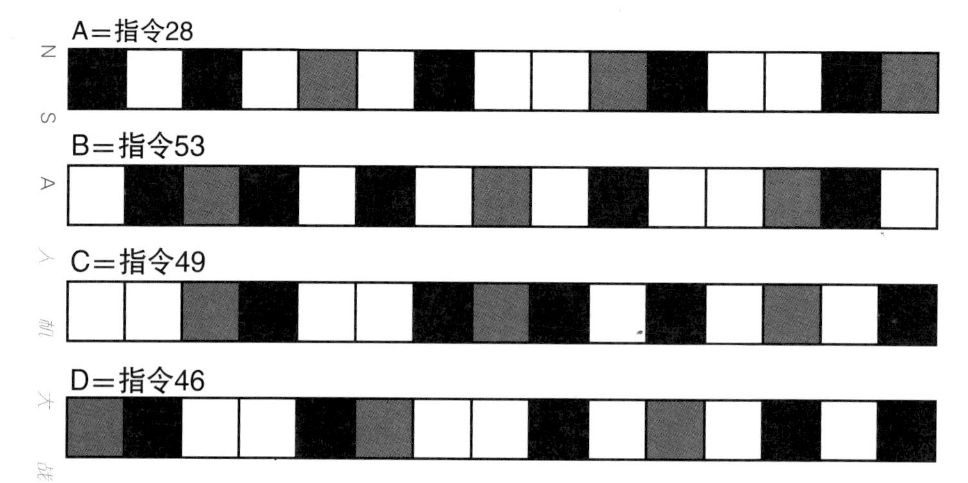

23 twenty-three

答案：148

有个家庭共有8个小孩。其中，Simon的年龄和Chevonne的年龄相加后除以2，就是Iain的岁数；Fifi的年龄是Chevonne的一半；Simon的岁数是Sady的2.6倍；Sady的年龄是Petra的2倍；Mary比Simon小3岁，但比Iain大9岁；Kamal比Sady大1岁，而Sady的年龄则是Chevonhne的5倍。去年Chevonne的年龄和今年Fifi的年龄一样。请根据上述条件判断出每个孩子的年龄，并将答案填入右边相应的方格里，以Simon的年龄作为下一道题的指令。

Kamal

Mary

Iain

Simon

Sady

Fifi

Petra

Chevonne

24 twenty-four

答案：148

根据已知条件找出问号处所缺的数字，该数字即为下一个指令。

2
6 8
3
54

6
4 7
5
58

7
9 5
2
59

4
11 3
5
?

25 twenty-five

答案：148

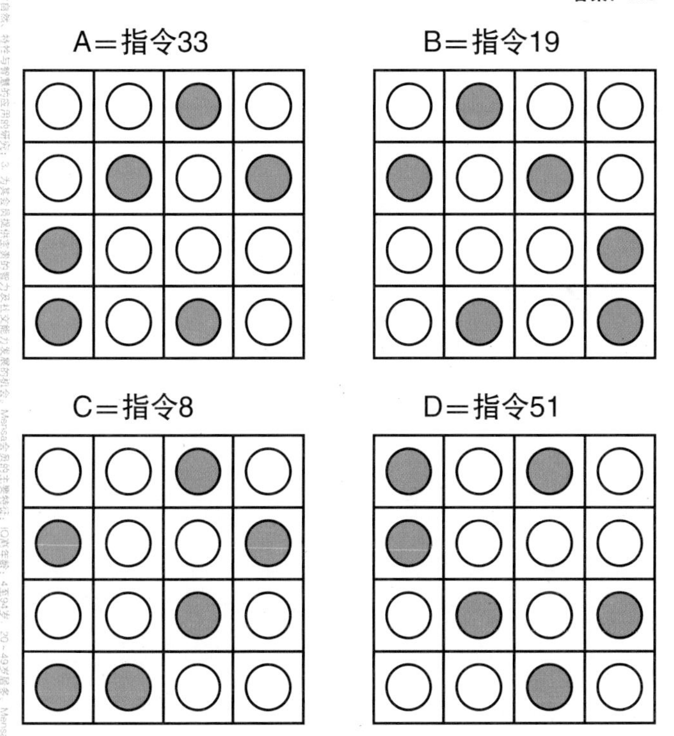

请从上面A、B、C、D4幅图中选出与众不同的一幅，并据此找出相应的指令。

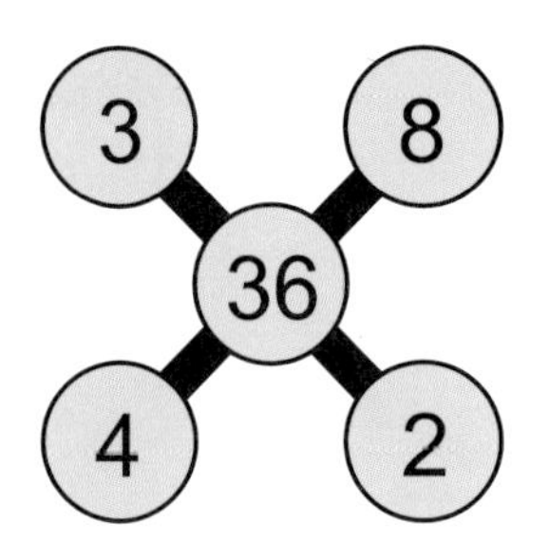

26 twenty-six

答案：148

根据已知条件判断，问号处应填入什么数字？只要将该数字加上4，就能找出下一个指令。

27 twenty-seven

答案：148

在艾德里安的线路板里，你必须走完36千米的路程。如果你的平均速度为27千米/小时，那么，请用全部行程所花的时间（分钟数）减去44，来作为下一个指令。

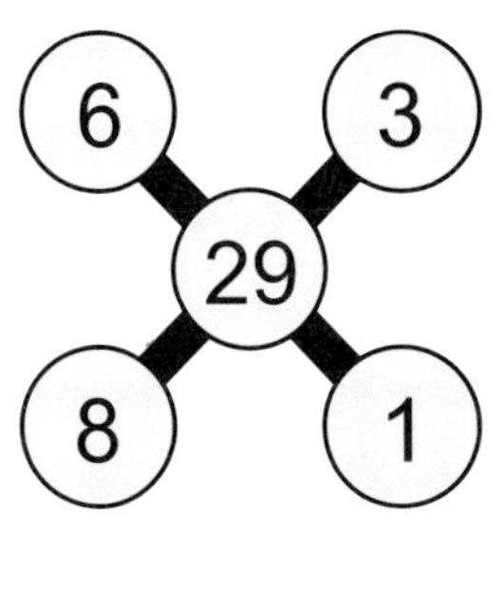

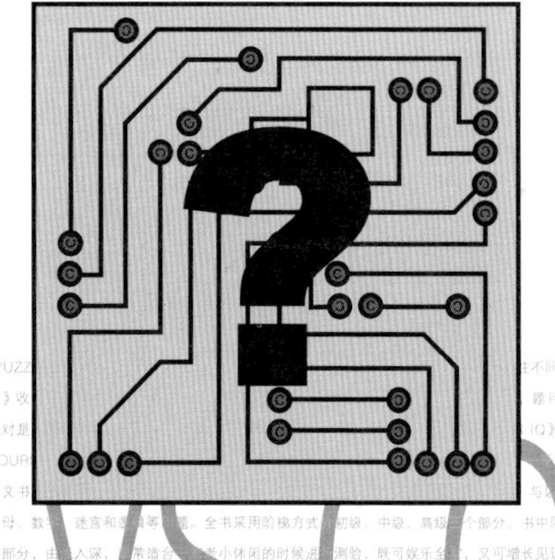

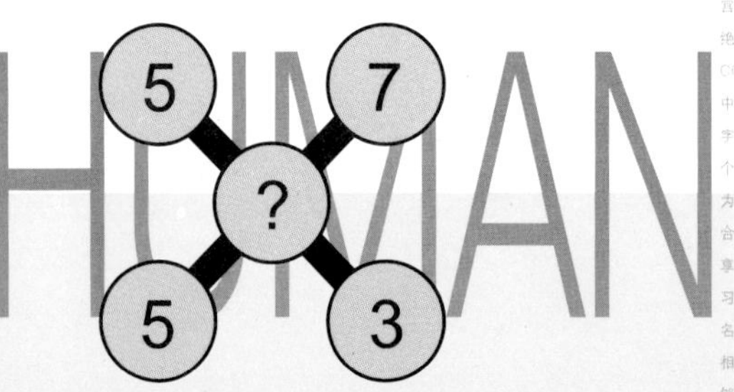

名：高难度字谜字谜是谜语中最考验智力的游戏，因为它涉及到你对语言的了解和运用，以及解
相近，但是却有八种不同的玩法：游戏卡指示玩家回答谜题上那一页的问题；谜题书里收录了超过
够提高你的思辨能力。《MIND GAMES ACTIVITY PACK KIDS》中文书名：少儿智力游戏之动动手
游戏和练习。丰富有趣的游戏使读者在享受乐趣的同时，也能够提高思维能力。其中“思维创新”

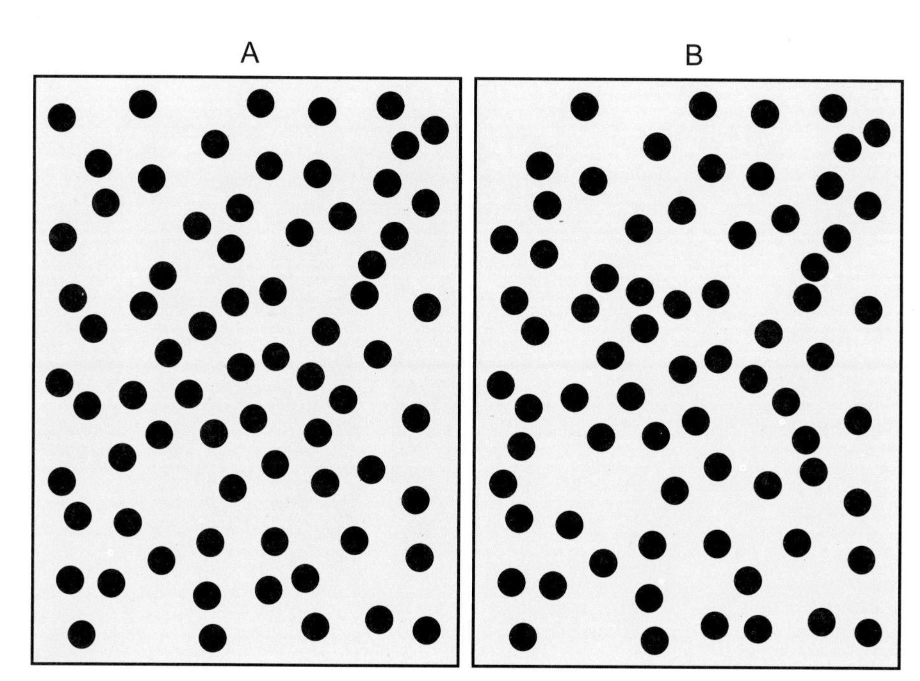

28 twenty-eight

答案：148

仔细观察，看看上面B图相对于A图有多少个圆点移动了位置。将这一数量乘以10，就是下一个指令。

题都附有彩色立体效果图。全书分为初级、中级、高级三个部分，共426题。相信这本书能为你带来更大的挑战和乐趣。《MIGHTY MIND MAZE》中文书名：智力谜宫MENSA的智力测试一向保持一定的智力水准。这本
的朋友不妨试试看。《A COMPENDIUM OF CONUNDRUMS》中文书名：谜题集锦一如MENSA丛书的风格，这本《谜题集锦》收集了超过200道谜题，内容包括字谜，数学题，逻辑题等。既有乐趣又充满玄机，对
商测验题。全书共有8组测验题、做测验集的目的不仅是要让读者知道自己的智商高低，正如序言中所阐述的那样：许多人还没完全发挥出他们自己的潜力。让读者了解自己的潜力，才是本书的目的。《THE MIND A
不[illegible]IQ题（[illegible]以文字形式出[illegible]）[illegible]类，如数字类、字母类、记忆类、逻辑类等，带给IQ题爱好者一个全新的体验。《MIGHTY MIND BENDERS NEW WORD PU
没有完全相同的[illegible]种类型，所以你不[illegible]道下一步[illegible]将隐藏着[illegible]么样的谜题。本[illegible]有超过200[illegible]新的难题，有信心的朋友不妨试一试。《PUZZLE CHALLENGE FOR KIDS》中文书名：少儿难题世界本书收录了近200条难
儿[illegible]在解谜中获[illegible]启[illegible]，增长智力，[illegible]享受乐趣，[illegible]书一箭三[illegible]，是不可多得的[illegible]儿童智力读物[illegible]《FAMILY QUIZ BOOK》中文书名：家庭常识测验一本涵盖了自然、城市、科技、历史、艺术、天文地理的常识测验书。全
[illegible]现在不用[illegible]也可以长智[illegible]，何乐而不为呢？《MIND GAME FOR KIDS》[illegible]文书名：孩子的智力游戏MENSA的少儿智力丛书中的一集，收录了接近200个题目，包括了数字问题、推理问题、数字问题等等。
文[illegible]数学精灵本[illegible]的特点是寓[illegible]于乐，让孩子不再觉得数学艰涩难懂。[illegible]可帮助孩[illegible]在玩乐中学会一点简单窍门，提高他们对数学的认识，掌握简单的学习数学的技巧。书中的语言条理清晰，内容简单易懂，是一
[illegible]出版智力测试丛[illegible]的品牌，该丛[illegible]共有300[illegible]本。其中[illegible]少儿字谜游戏集[illegible]针对儿童的[illegible]体情况，收入了如何设置字谜及200多个字谜游戏，适合各个年龄段的小朋友阅读。书里插图漫画意味浓郁，使小朋友在智力
[illegible]能力。书中的练[illegible]入门级开始，然后才进[illegible]第一级，[illegible]二级直至第四级[illegible]天才级），[illegible]目包括看图填数，初步的四则运算；另外还有三套以游戏形式出现的测验题；书中的插图多是以动物形象出现，可爱有趣。是
游[illegible]。这本《纵横字谜[illegible]》[illegible]入了包括平面[illegible]梯形、圆[illegible]金字塔形等类型的纵横字谜。书中所选的单词新奇有趣，内容五花八门，是一本怡情益智的好书。《MIGHTY MIND BENDERS WORD PUZZLES》
，题型多变，字库庞大，内容充实，是挥测你的能量的测试器。《BRAIN GAMES》中文书名：脑力游戏这是一套考验文字和数学能力的游戏。全套游戏包含有100张游戏卡，棋盘和一本谜题书。它的棋盘与我国的飞
游戏。《CARD GAMES》中文书名：扑克游戏集锦扑克牌大家玩得多了，但是不是对每一种玩法都了如指掌呢？本书收集了当今世界上较为流行的20多种扑克牌玩法，包括大家熟悉的桥牌、接龙等。空闲的时候打打
字游戏、小游戏以及游戏练习，不少还是手脑并用的呢！这对平时动脑多过动手的孩子再好不过了，如果您想为开发孩子的智力找一个帮手，此书真仁不让。《MIND GAMES》中文书名：智力游戏本书收集了超过200
的我们，应该是有所启发的。新到门萨系列简介《挑战难题2》有各种各样的全彩图智力尝试，将使你在数小时内仍能愉快地保持挑战，从逻辑推理难题到彩色分析的尝试，都有一些东西来挑战不同年龄层次和各种水
PUTER

49岁这一年龄段之间。他们当中既有学前
学者，也有获得多个博士学位的；有依靠
度日的，也有百万富翁。他们职业差距令
有教授、卡车司机、科学家、消防员、电
、农民、艺术家、军人、音乐家、工人或
员中有的声名显赫，是著名的公众人物，
是默默无闻的普通人。够资格成为会员的
其居住国的MENSA机构获得该国的会员身
住国没有MENSA机构，则可向英国总部申
既定的考试程序而直接获得国际会员身份。
会员必须同意遵守《MENSA章程》以及
会员获得身份的国家的MENSA机构的相关
定和决议；准时交纳各国MENSA机构规定
如为国际会员，则交纳MENSA国际董事会
费；允许MENSA将其姓名与住址登在经
授权的刊物上。三、原则MENSA在拉丁语
"桌子"。这代表MENSA是一个平等的圆桌
在这里没有地位的差别。在这个社团里，
、肤色、教条、国籍、年龄、政治教育和
都是无关紧要的。MENSA不涉及任何政治、
会事务而只关注纯粹的智商问题，社团包
国各种文化背景下持不同见解的人。谁都
某种观点而却绝对不能因此而影响社团的
——维护一个兼容并包的纯智力交流论坛。
尊重其会员各有的思维方式与见解，但是，
作为一个超越意识形态的智力测试组织，绝
个人或部分会员的意见作为MENSA的意
能在涉及任何纠纷的调查结果发表之前就
性意见；更不能令自己的活动安排与意识
学、政治或宗教有任何联系。MENSA的会
个人身份发表独立见解，但他们的见解与
代表MENSA。MENSA的信念还在于它认
题的提出及解决应有益于人类的智慧的发
，MENSA的一切活动均不应有对社会不利
MENSA特别注重的是它是一个非营利性社
运作中可能产生的少量获利都用作其活动
到严格监控。MENSA就好比蛋白质——其
特点就是多样性。它跨越了人与人之间的
。在招收新会员时，它只选择那些能够真
脑的人，而不管其他因素。虽然表面看来
成员之间缺乏共同的基础，但人类智力的深
给了这个组织以意想不到的能量。四、活
A为会员们提供了一个平等、公开的智力交
它开展的常规活动内容包括有讲座、辩论、
、专门课题研究、地方或全国性或国际性
会员意见表达及调查反馈，以及自愿协助
聘请的专门研究人员对智力测试标准进行修
MENSA会定期组织会员开展各种各样的非
流活动。会员可在其组织或赞助的活动中享
社交乐趣并结识各种年龄的有趣人士。这
常会是由会员或被邀请的特定人士就某一
题发表演讲；室外活动，如郊游、划艇或者
派对、烧烤、晚餐或平常聚会，等等。五、
NSA所聘请的专家会定期整理，筛选其成员
智力问题，或归纳其富有代表性的试题，或
悉MENSA精髓的智商研究学者编写，从而定
以MENSA品牌为号召的书籍和相关产品。凭
SA在智商测试领域的权威地位，这些图书不
于欧美，同时还被作为西方国家进行智商测
考标准，获得多个国家政府的采纳和推广。

29 twenty-nine

答案：149

根据所给出的已知条件，计算出D列中问号处所缺的数字，并把它作为下一个指令。

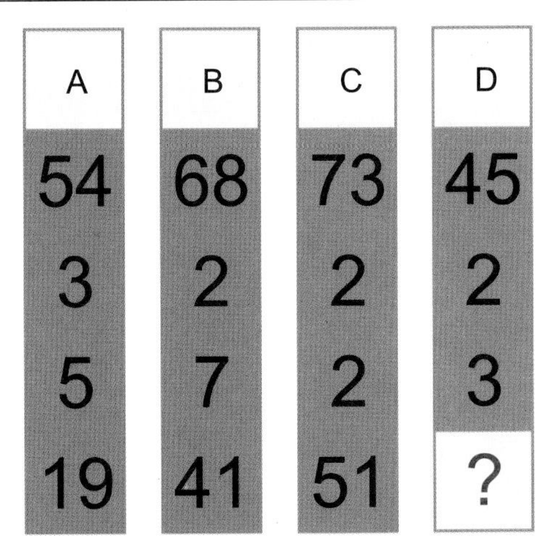

A	B	C	D
54	68	73	45
3	2	2	2
5	7	2	3
19	41	51	?

30 thirty

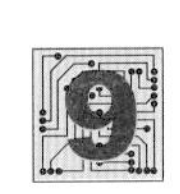

答案：149

下图中，各个圆圈内的数字中有一个与众不同。请把这个数字找出来，并将它作为下一个指令。

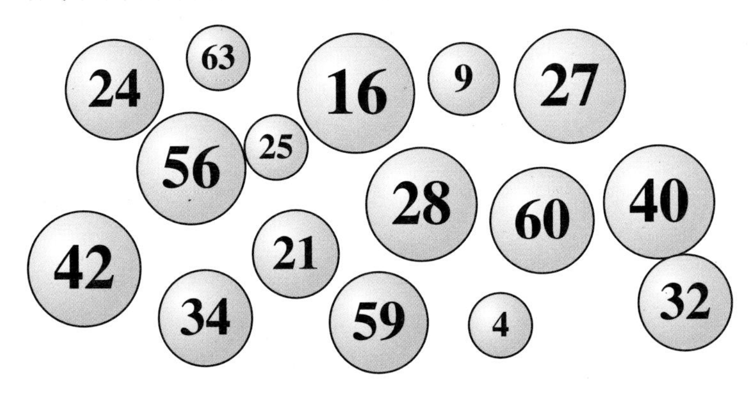

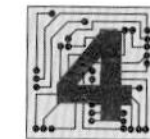

答案：149

请从A、B、C、D4个选项中选出与众不同的一项，此项下面的数字即是你逃出虚拟现实空间的下一个指令。

A

□	■	❋	○	❋
▲	△	□	✖	□
○	✖	▽	☆	✖
□	❋	●	△	❋
△	▼	✖	❋	☆

13

B

△	☆	❋	○	❋
□	✖	□	●	✖
■	❋	△	▲	□
✖	☆	✖	❋	○
❋	▼	□	▽	△

59

C

□	▽	△	❋	□
✖	☆	■	○	✖
❋	✖	□	❋	△
△	▼	▲	☆	❋
✖	○	❋	●	□

28

D

□	✖	▽	❋	△
❋	△	✖	○	□
✖	●	☆	□	❋
▼	□	○	❋	☆
■	✖	❋	▲	□

42

32 thirty-two

答案：149

请将元音字母A、E、I、O、U填入上图的空格中，使得这五个字母在每一行、每一列和每一条对角斜线上都出现一次。然后，根据位于图形正中央的方格中的字母，找出下一个指令。

A＝指令41
E＝指令16
I ＝指令30
O＝指令15
U＝指令53

33 thirty-three

答案：149

有个做事马虎的人在一系列算式中均遗漏了一些数字和运算符号，请你替他补充完整（数字填入方格内，运算符号则放在方格外）。将所有缺少的数字相加，再除以38，然后减去90.5，就是下一个指令。

186740 □□□□ 183400 □□ 2620 □□□ 2440

□ 7320 □ 1464 8 □□□ 3 61

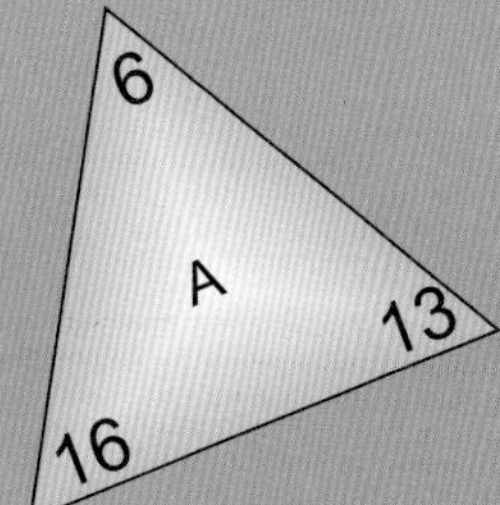

34 thirty-four

答案：149

根据已知条件，求出问号处所代表的数字，该数字即为下一个指令。

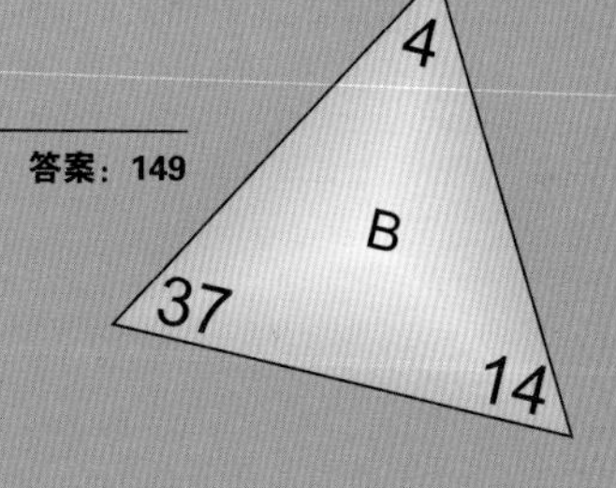

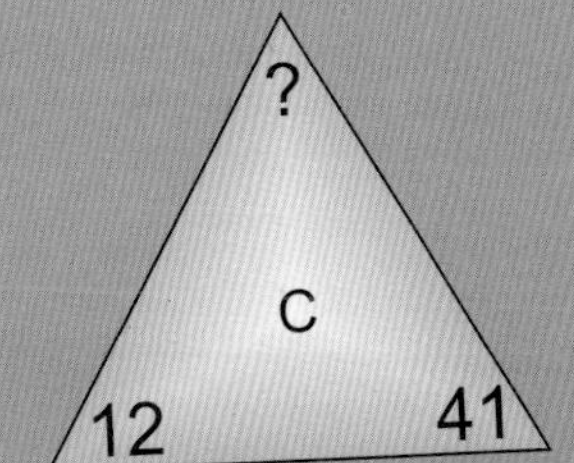

HUMAN VS COMPUTER

35 thirty-five

答案：149

A	B	C	D
21	9	17	23
3	4	2	2
6	8	11	5
57	44	45	51

请从A、B、C、D4个选项中选出与众不同的一项，该项下面圆圈中的数字就是你的下一个指令。

36 thirty-six

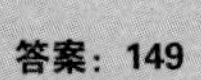
答案：149

请从A、B、C、D4个选项中选出与众不同的一项，该项中间的数字即为下一个指令。

注意，指令并非图形本身的一部分。

B: 6, A, 12, D, 10, C, 8, B；中间 41

A: B, 8, C, 10, D, 12, A, 6；中间 51

C: 10, D, 12, A, 6, B, 8, C；中间 29

D: C, 10, D, 12, A, 6, B, 8；中间 34

37 thirty-seven

请根据已知条件，在下图空格处依次填入合适的数字。右边最后一格的数字就是你的下一个指令。

答案：149

16	10	6	12	6
4	7	3	7	5
10	6	12	6	16
3	7	5	4	7
5	4	7	3	7
12	6	16	10	6
7	3	7	5	4
6	16	10	6	12

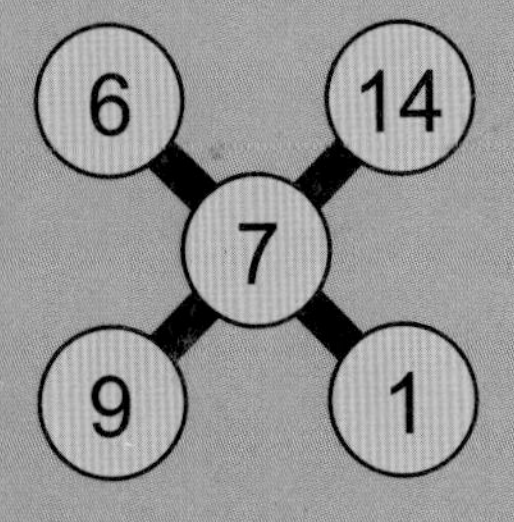

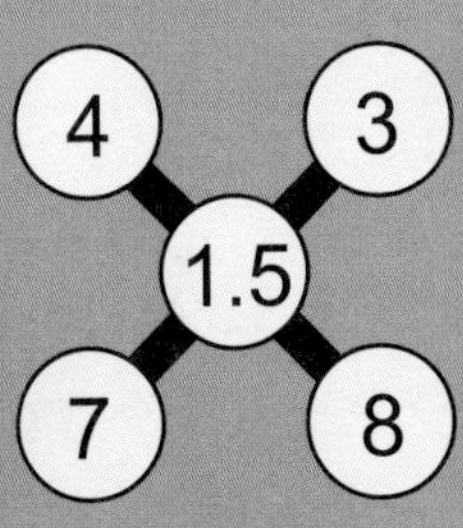

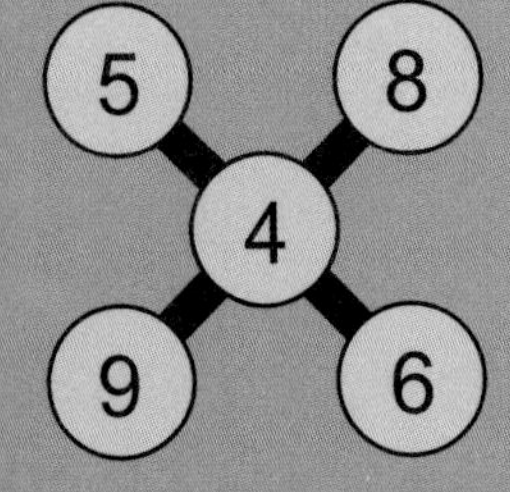

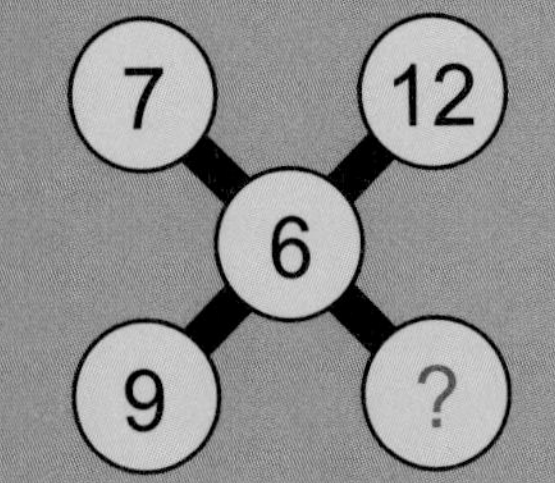

38 答案：150

thirty-eight

如左图所示，根据已知条件判断，问号处应填入什么数字？将该数字除以2，就能得出下一个指令。

2 4 5

39 答案：150

thirty-nine

如右图所示，请根据已知条件，往B项的问号处填入适当的数字。它们分别组成了你的下一个指令的第一位数和第二位数。

2 C 6

3 1 4

3 7 5

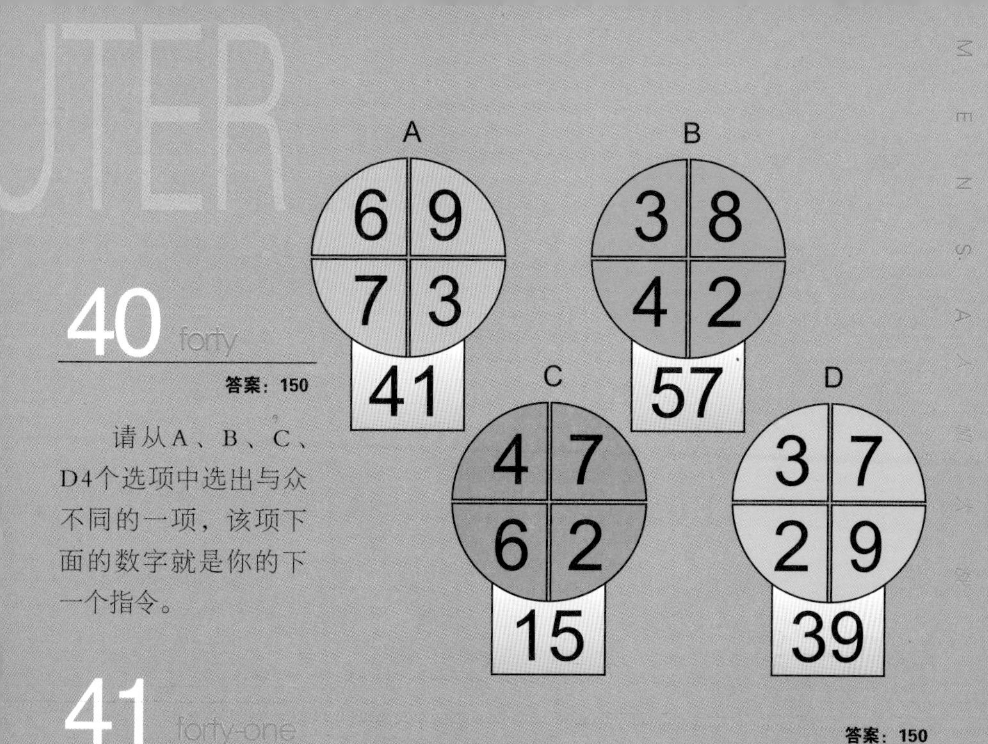

40 forty

答案：150

请从A、B、C、D4个选项中选出与众不同的一项，该项下面的数字就是你的下一个指令。

41 forty-one

答案：150

在本题中，艾德里安给你设置了一个说起来简单、实际上却不易完成的任务——在下图中计算出与右边所示相同的正方形数量（不要算入这个！），并将结果翻倍，就可以得出下一个指令。

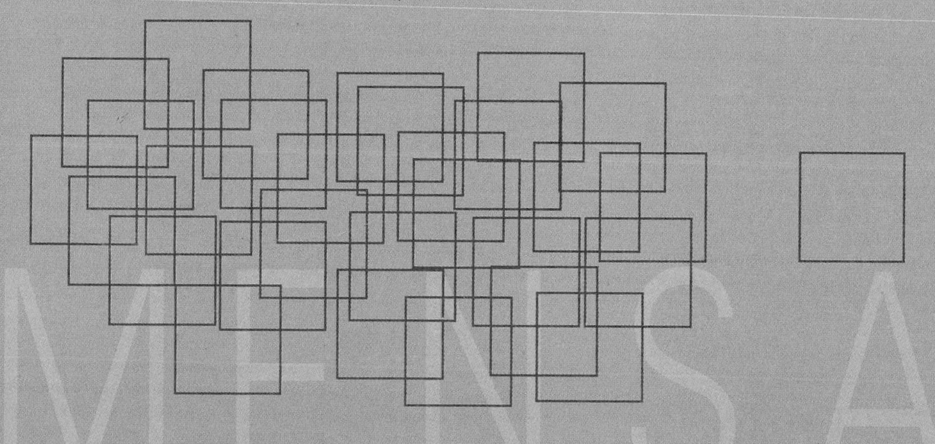

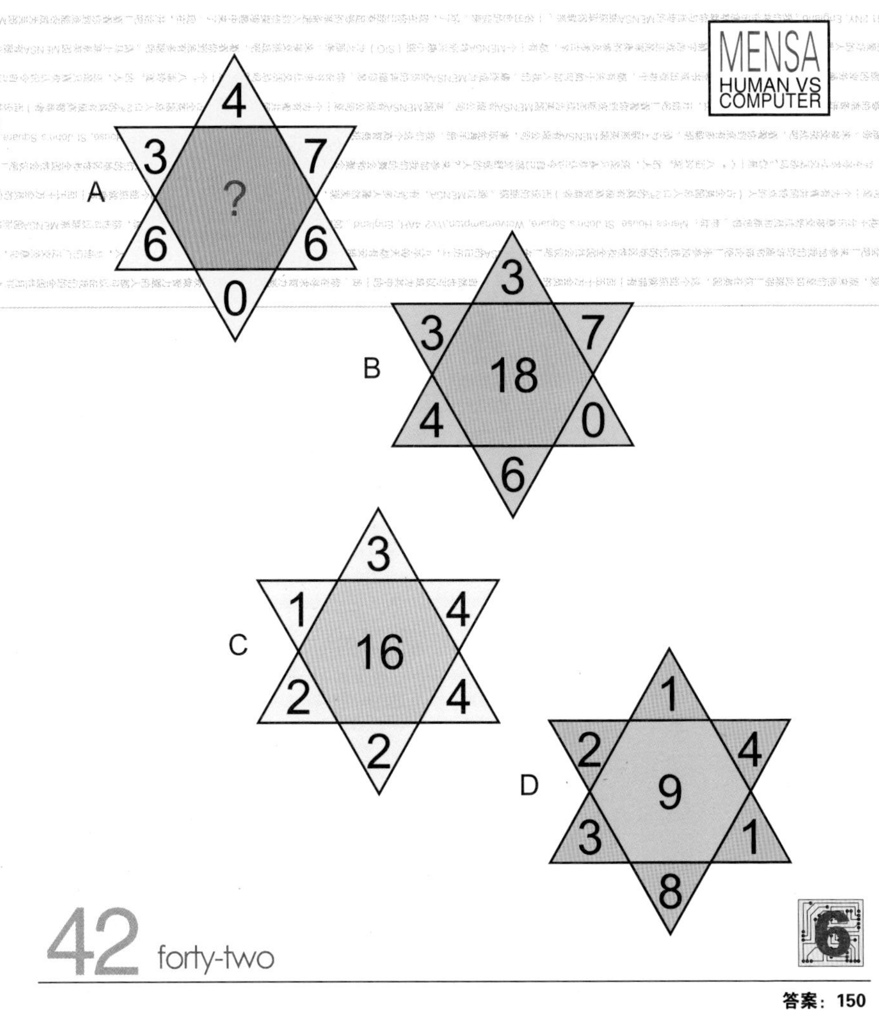

42 forty-two

答案：150

你的下一个指令，就是上图中A选项内的问号处所代表的数字。

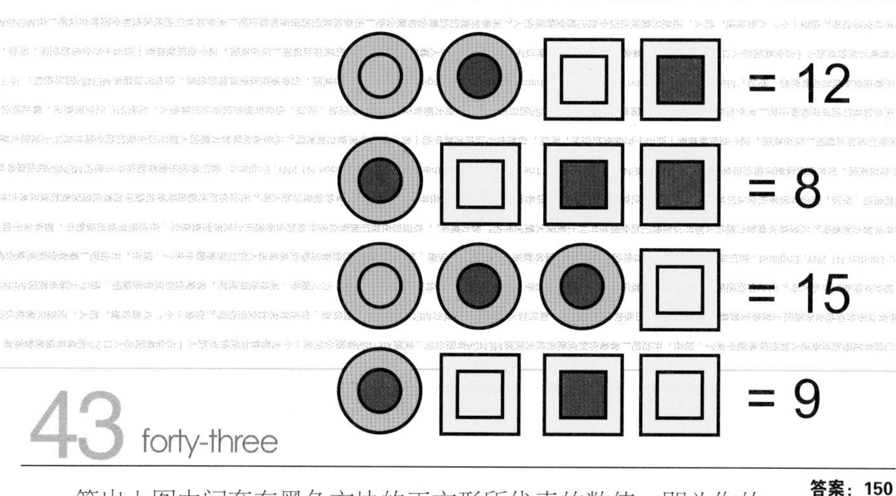

43 forty-three

答案：150

算出上图中间套有黑色方块的正方形所代表的数值，即为你的下一个指令。

44 forty-four

答案：151

如上图所示，请算出这两幅图之间有多少处不同。将这个数量加上10后，就可以得出下一道题的指令了。

45 forty-five

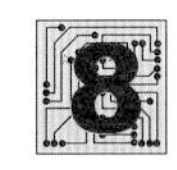

答案：151

请用3条直线将下图分成3个部分，使得每个部分的所有数字之和均为60。在最小的那一部分里，数字1出现的次数，即是你的下一个指令。

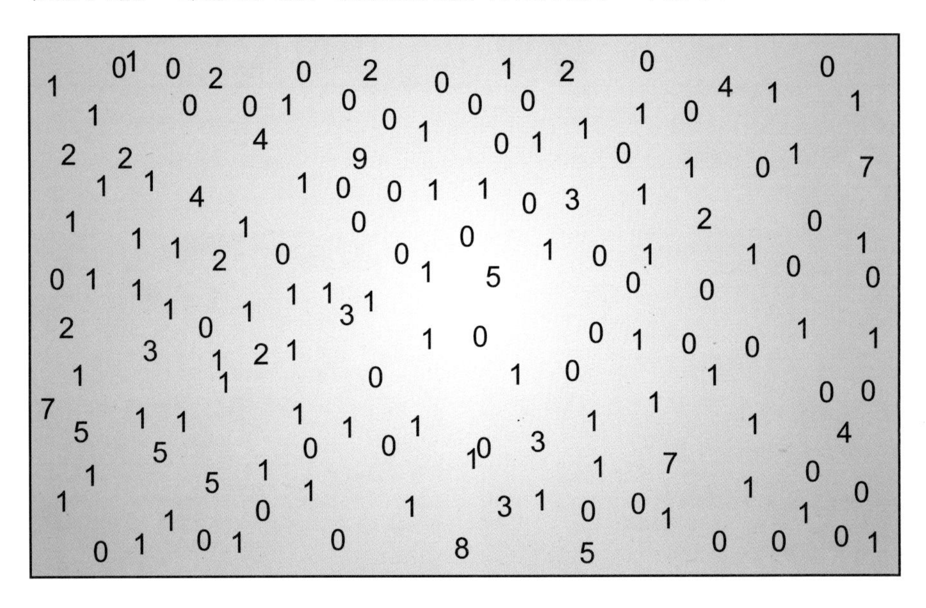

HUMAN VS COM

46 forty-six

答案：151

在下图中，一共出现了几种不同形状的图案？将这个数字乘以3，就是下一个指令。

47 forty-seven

答案：151 

根据已知条件，求出D项内问号处的数值。该数值将为你提供下一个指令。

A	2 1 9 1 3 7 8 8 0 0 = 5.1	B	3 4 1 2 0 3 0 6 7 4 = 29
C	5 2 3 1 2 1 9 6 4 0 = 6.5	D	6 2 1 2 0 3 8 4 0 5 = ?

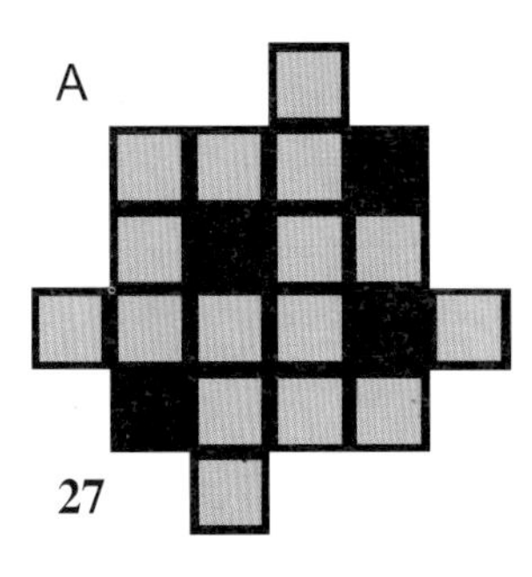

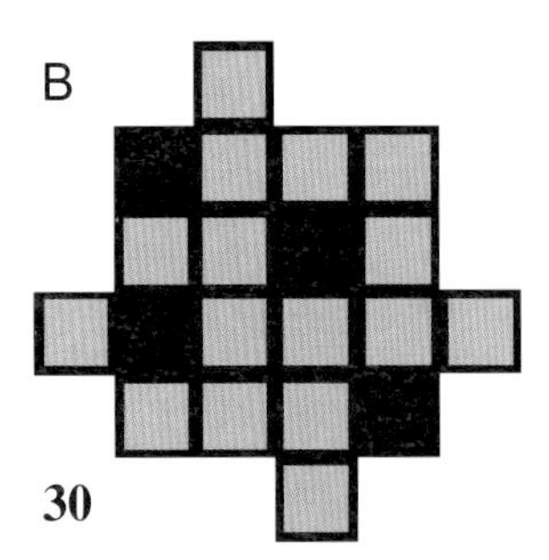

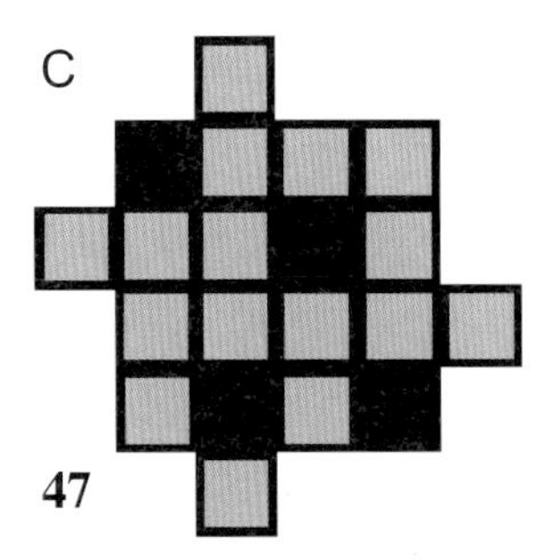

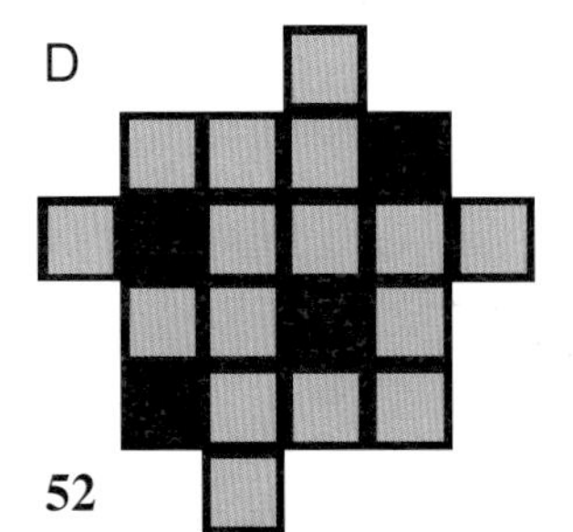

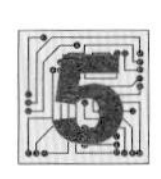

请从A、B、C、D4个选项中选出与众不同的一项，该项左下方的数字即是下一个指令。

48 forty-eight

答案：152

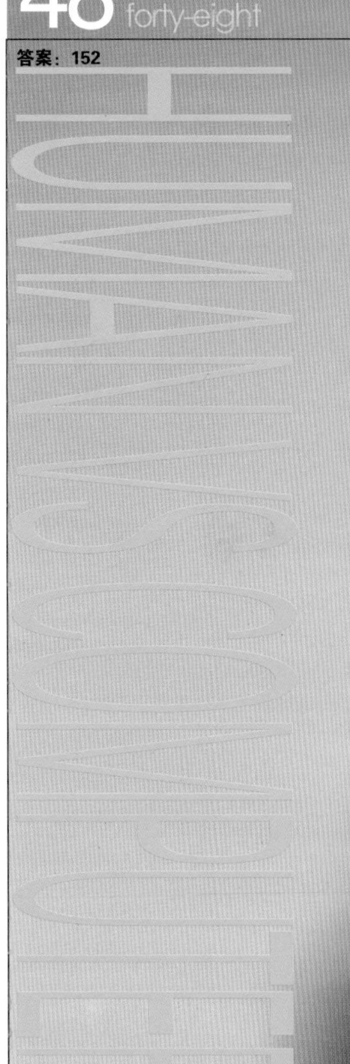

49 forty-nine

答案：152

下列这些圆形内的每个数字都以某种特别的方式与另一个数字配对，只有一对例外。请将这对数字找出来，它们的和就是你的下一个指令。

50 fifty

答案：152

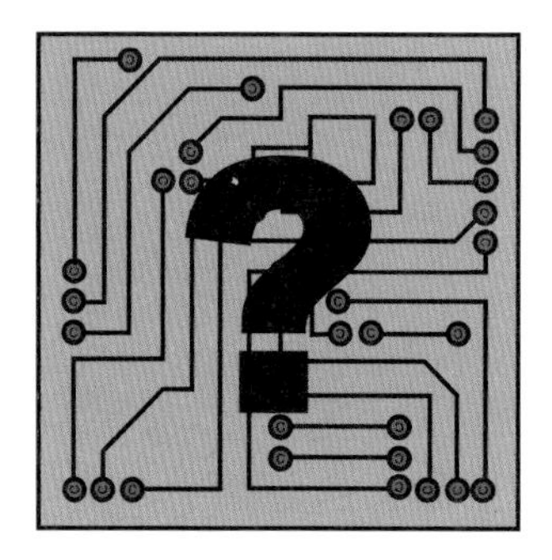

你的下一个指令是这样产生的：将该指令平方后再乘以3，得出的数字减去7后再乘以5，这个结果的平方根减去6后，会得出大于1的第一个平方数。

51 fifty-one

答案：152

试试将杠杆上方标号为2的砝码放在适当位置，使移走绳子后，杠杆仍保持平衡。你的下一个指令就是该砝码所在位置下方的数字的2倍。

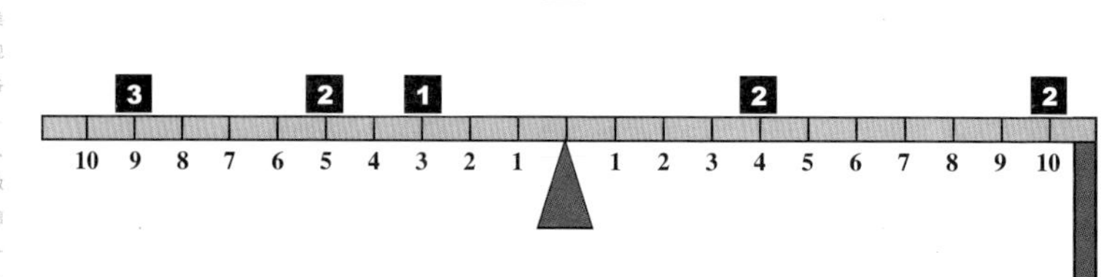

52 fifty-two

答案：152

请从A、B、C、D4个选项中选出与众不同的一项，而你逃离虚拟现实空间的下一步指令就在此项中心处的数字。

注意，位于各项中心处的数字并不参与解题过程。

A

B	1	0	1	2	4
3	0	1	8	4	2
1	1	52		7	4
7	8			8	9
6	1	9	5	9	1
8	5	5	Y	5	1

B

S	5	8	6	7	1
Y	1	8	1	0	3
5	9	11		1	B
1	5			8	1
1	9	8	7	4	0
9	4	2	4	2	1

C

1	2	4	2	4	9
0	1	9	5	9	1
1	8	48		8	1
B	1			7	5
3	0	1	8	4	9
1	7	6	8	5	3

D

1	5	Y	3	5	8
1	9	5	9	1	6
9	8	16		8	7
4	7			1	1
2	4	8	1	0	3
4	2	1	0	1	B

53 tfifty-three

答案：152

请用4条直线将上图分成5个部分，使得每个部分的所有数字之和分别是30、40、50、60和70。将最小的那个部分内的所有数字的数量加上14（不包括0在内），就能获得下一道题的指令。

54 fifty-four

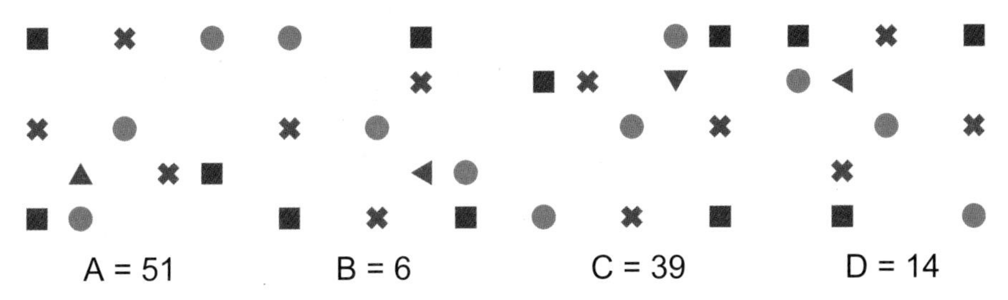

请从A、B、C、D4个选项中选出与众不同的一项，该项下方的数字即为下一个指令。

55 fifty-five

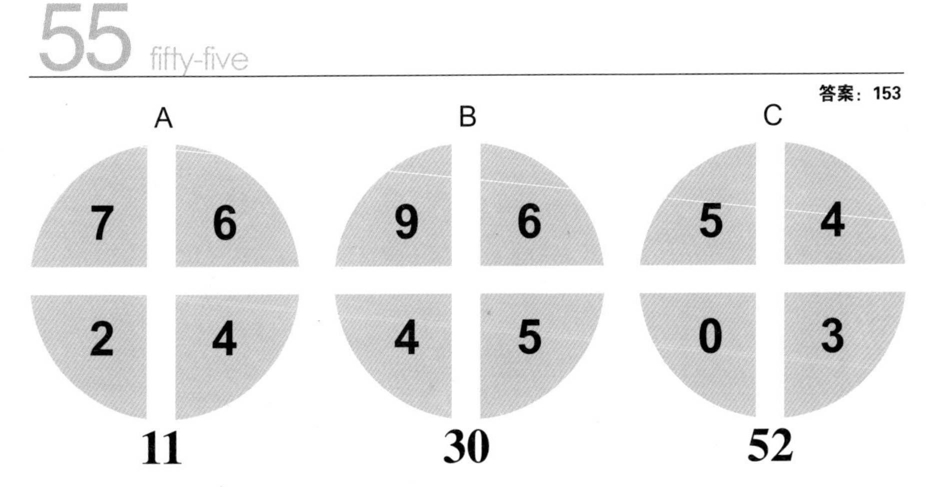

请从A、B、C3个选项中选出与众不同的一项，并以该项下方的数字作为下一个指令。

	A
1	4189
2	1372
3	0598
4	2182
5	0037

	B
1	5241
2	1369
3	2080
4	1739
5	0052

	C
1	4888
2	2161
3	1009
4	1674
5	0043

	D
1	6334
2	0238
3	4686
4	1358
5	0051

56 fifty-six

答案：153

请从A、B、C、D4个选项中选出与众不同的一项，并以该项最后一行的数字作为下一个指令。

3 ❖ + 2 ◆ − 2 ★ = 36

2 ❖ − 1 ◆ − 1 ★ = 13

1 ❖ + 1 ◆ + 1 ★ = 17

2 ❖ − 3 ◆ + 1 ★ = ?

57 fifty-seven

答案：153

请根据已知条件，解出上面这些方程式，并在问号处填入正确的数字。这个数字就是下一个指令。

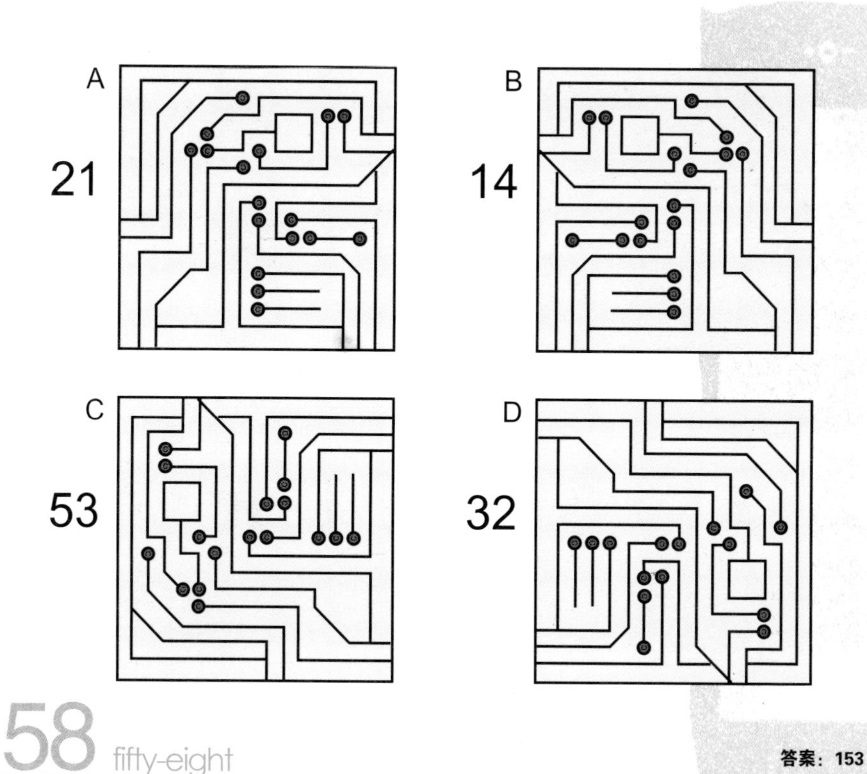

58 fifty-eight

答案：153

请从A、B、C、D4个选项中选出比其他图形多一条线的选项，并以该图形旁边的数字作为下一个指令。

PUTER

59 fifty-nine

答案：153

请从A、B、C、D4个选项中选出与众不同的一项，并以该图形下方的数字作为下一个指令。

注意：每个三角形下方的数字都不参与解题过程。

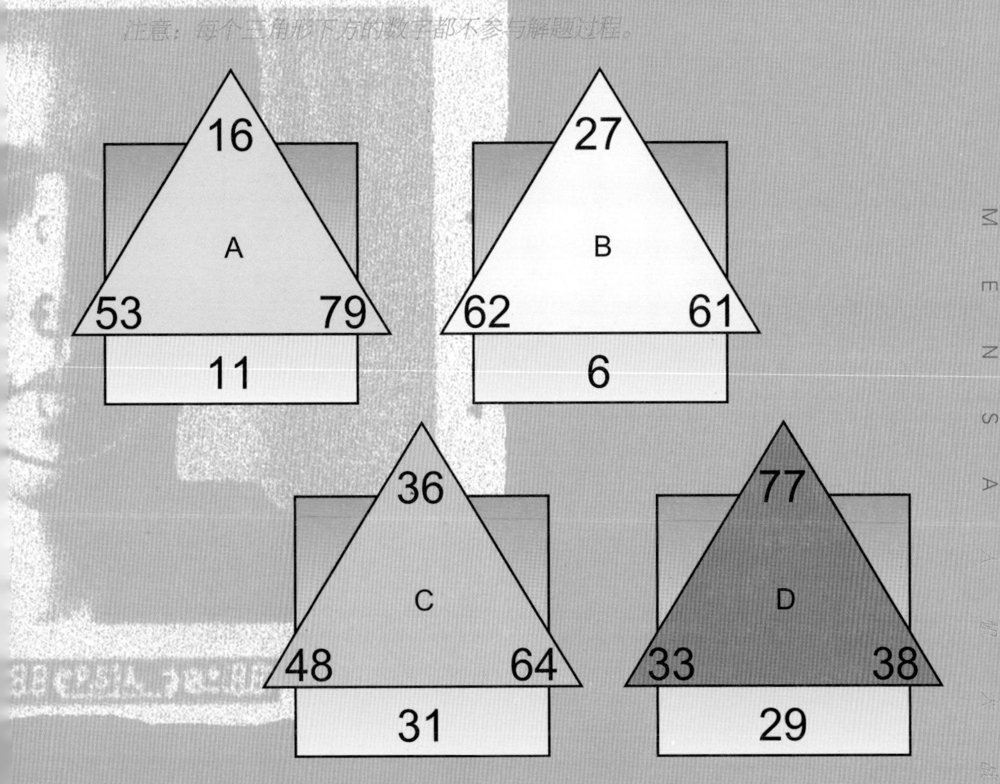

M E N S A

60 sixty

答案：153

请完成下面这个魔方，使得每一行、每一列、每一条对角线上的所有数字之和都等于33。将位于魔方正中的数字加上19，就可以得到下一个指令。

4	9	7	5	8
5				7
9				4
8				5
7	5	8	4	9

第三道密码之门

你冲破艾德里安的最后一道防线了吗？

注意：一定要以正确的顺序解题——从A列到B列，逐个填入密码。

接着，将A列所有数值之和减去B列所有数值之和，所得结果就是第三节的最后密码了。将这个数字填在第156页的相应位置上，并根据要求计算出这三节总的密码。

如果这一切你都能做到的话，那就证明你确实很出色。

你准备好迎接最后的挑战了吗？

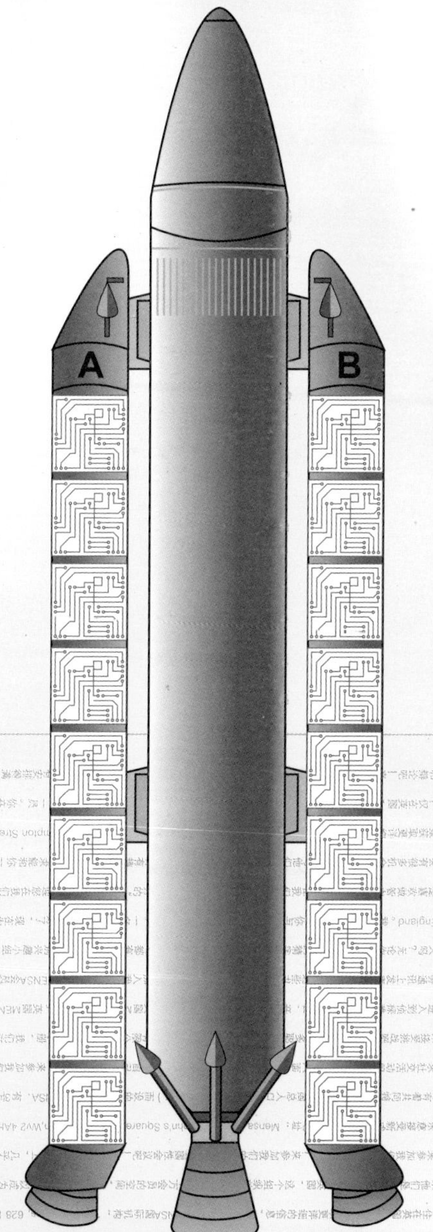

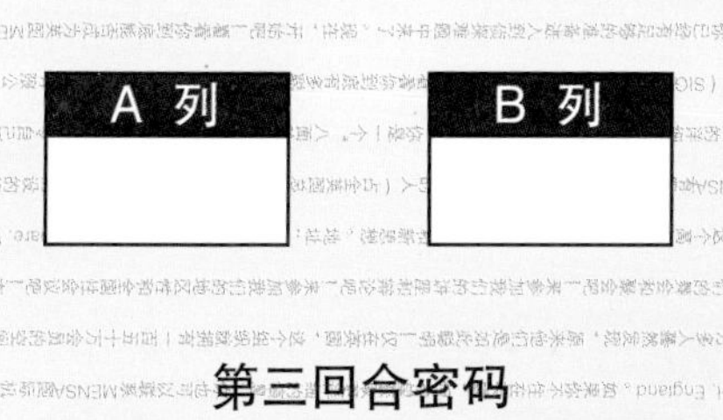

Answers 答案1–21

1. B。两图互为镜像。转至第29题。

2. 56。乘法算式是：237456×54＝12822624。237456的十位数和个位数是5和6。转至第56题。

3. C图不同，它是其他图形的镜像，其余的则是旋转角度不同的同一图形。对应的指令为45。转至第45题。

4. 有32个圆形和16个交叉形。32－16＝16。转至第16题。密码4。

5. 34。34×2＝68，68＋2＝70，70÷10＝7，7＋13＝20，20÷4＝5，5×5＝25。转至第34题。

6. D。图中的两种有色长条每次都移动一步，然后再从上到下，从左到右地循环。转至第8题。

7. 13。每一组图形中，外环的所有数字相加后除以2，都等于中间的数字。(1+7+4+3+6+5)÷2=13。转至第13题。

8. A选项不同。如下图所示，加粗处即为多出的一条线。其余的则为旋转角度不同的同一图形。转至第35题。

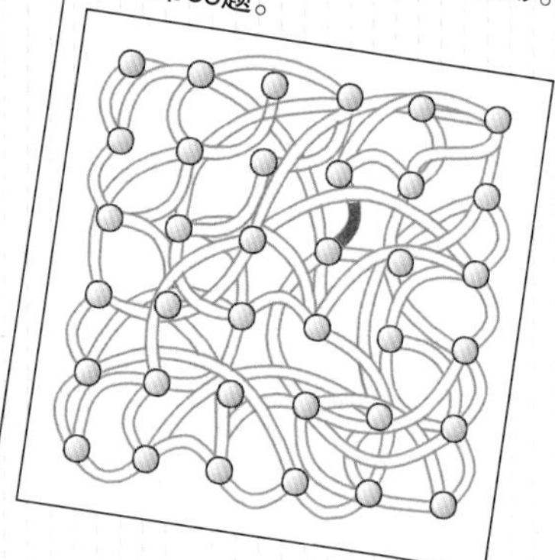

9. D选项不同。在选项A、B和C中，你都可以按顺时针方向找到这一顺序：B G B G R B G R，但在D选项中，这个顺序是按逆时针方向得出的。转至第27题。

10. C。其他立方体的各数字之和都是119，但在C中，各数字之和为120。转至第49题。

11. A。在每个方格里，三个小圆都处于相对同一位置。转至第18题。

12. 54。在第一行中，$4\times8=$[3][2]。在第二行中，$6\times9=$[5][4]。转至第54题。密码2。

13. $x=2$；$y=3$；$z=4$。因此，$z+7=11$。转至第11题。

14. D。转至第43题。

15. B选项不同。该选项的数字是其他项的镜像，而其他选项则是旋转角度不同的同一图形。$1-1=0$。恭喜你，你已顺利通过艾德里安设下的最后一道挑战。现在，请翻至“第三道密码之门”页。密码6。

16. C图不同。有一处发生了变化，如下图圈中所示。转至第55题。

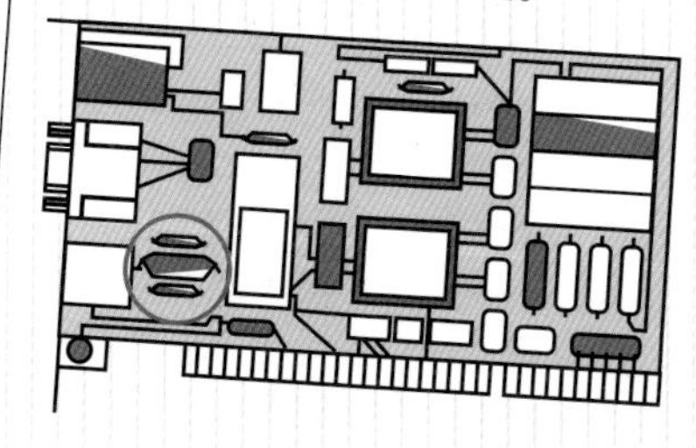

17. C选项不同。在其他方格中，右边的数字＋下面的数字＝左边和上面组成的数字，例如，在A选项中，$5+8=13$。转至第28题。

18. A组不同。只有在这一组中，周围数字之和＝中间的数字，而其他选项周围数字之和均大于中间的数字。$51-20=31$。转至第31题。密码2。

19. 47。在每一行中，每个数字乘以2后加1就是下一个数字。所以，$5\times2+1=11$，$11\times2+1=23$；$23\times2+1=47$。转至第47题。

20. 44。$44-40=4$，$4^2=16$，$16+10=26$，$26\div2=13$，$13\times3=39$。$51-39=12$，$12=3\times4$；$78-39=39$。转至第44题。密码5。

21. 4。在每组图形中，第一行组成的两位数＋第二行的两位数－第三行的两位数＝第四行的两位数。所以，$25+19-12=32$；$3+2-1=4$。转至第4题。

Answers 答案22-37

22. D选项不同。其他的选项都是按照A选项中图案的顺序循环排列，只是起点不同，例如B项中由第四格开始，C项则从第九格开始，而D选项的顺序则是A项中图案的反向排列。转至第46题。

23. 各个小孩的年龄如下所示。转至第26题。

Kamal=11　Mary=23
Iain=14　Simon=26
Sady=10　Fifi=1
Petra=5　Chevonne=2

24. 53。在每组方格中，互为对角的两个数字相乘后的乘积之和，即为方格下方的数字。所以，(11×3)+(4×5)=53。转至第53题。密码3。

25. A图不同。它是其他图形的镜像，而其他图形则是旋转角度不同的同一图形。转至第33题。密码2。

26. 51。每一组中，上面两个数字的乘积+左下角和右上角两个数字之和=中间的数字，而右下角的数字只不过是干扰项，并不需要参与解题过程。所以，问号处的数字应该是：5×7+(5+7)=47。47+4=51。转至第51题。

27. 36。走完全程所花的时间=36千米÷27千米/小时=1.33小时=80分钟，80−44=36。转至第36题。密码8。

28. 有5处圆点移动了位置，如图所示。5×10=50。转至第50题。

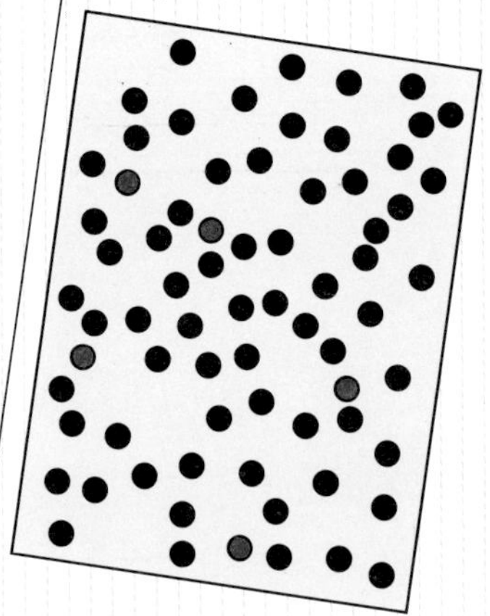

29. 在每一列数字中，上面的数字－中间两个数字组成的两位数＝底下的数字。所以，45－23＝22。转至第22题。

30. 59，这是所有圆圈内数字中惟一的一个质数。转至第59题。密码9。

31. D选项不同。该项图案多了一个白色正方形，却少了一个白色三角形。转至第42题。密码4。

32. 如图所示，位于图形正中央的字母是O。转至第15题。

A	E	I	O	U
O	U	A	E	I
E	I	O	U	A
U	A	E	I	O
I	O	U	A	E

33. 186740[－3340]＝183400；183400[÷70]＝2620；2620[－180]＝2440；2440[×3]＝7320；7320[÷5]＝1464；1464÷8＝[183]；183÷3＝61。所以，3340＋70＋180＋3＋5＋183＝3781；3781÷38＝99.5；99.5－90.5＝9。转至第9题。密码6。

34. 38。在每一个三角形中，将左下角的数字拆开后相加，再加上上面的数字，即等于右下角的数字。转至第38题。

35. A。在其他选项中，（顶端数字×中间数字）＋底端数字＝圆形内的数字。但在A项中，则是：（顶端数字×中间数字）－底端数字＝圆形内的数字。转至第57题。

36. B。本选项中，字母与数字的顺序按照逆时针方向旋转，而其他选项则都按顺时针方向旋转。转至第41题。密码2。

37. 每一行上的数字与其隔一行上的数字排序一致，只是均向左移动了一格。因此，空格上的那一行数字排序应该是：6、12、6、16、10。转至第10题。

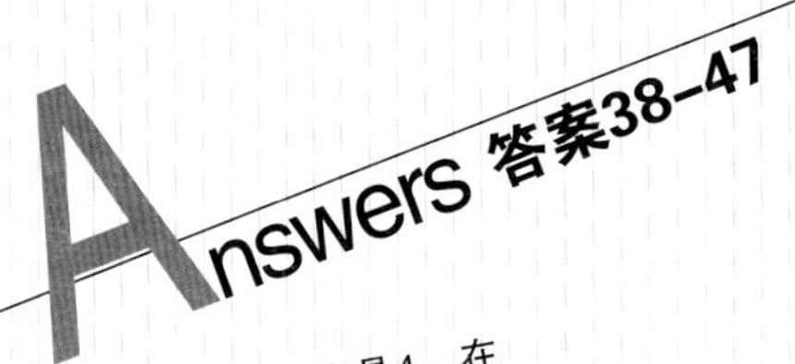

38. 问号处的数字是4。在每一组图形中，左上角的数字＋左下角的数字－右下角的数字＝右上角的数字；右上角的数字÷2＝中间的数字。所以，7＋9－[4]＝12；12÷2＝6。4÷2＝2。转至第2题。

39. 17。在每一项中，第一行组成的数字＋第二行组成的数字＝第三行组成的数字。所以，228＋17＝245。转至第17题。密码3。

40. D。其他的选项中，左上角和右下角组成的数字＝左下角的数字×右上角的数字，但在D中，这一顺序却被颠倒了：3×9＝27。转至第39题。

41. 有29个正方形。29×2＝58。转至第58题。

42. 20。顶角和底角的数字组成两位数，再除以2，即为中间的数字。所以，40÷2＝20。转至第20题。密码6。

43. 各个图案的数值如下所示。转至第1题。

= 5

= 4

= 2

= 1

44. 有9处不同，如下图所示。9＋10＝19。转至第19题。

45. 如下图所示，最小部分内有23个1。转至第23题。密码8。

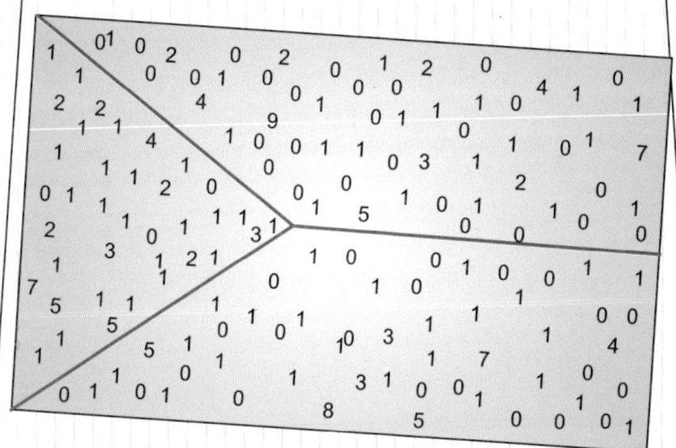

46. 有20种不同的图案，如下图所示。20×3＝60。转至第60题。

47. 25。这4项均有相同的计算方法，例如：在B项中，（33＋40＋16＋27）÷4＝29；依此类推，在D项中，（63＋28＋14＋20）÷5＝25。转至第25题。密码3。

Answers 答案48–60

48. B。该项为其他图形的镜像，而其他项则是旋转角度不同的同一图形。转至第30题。密码5。

49. 如图所示，与众不同的一对数字是用双直线连接的18和22，这一对数字加起来等于40，而其他各对加起来都等于56。转至第40题。

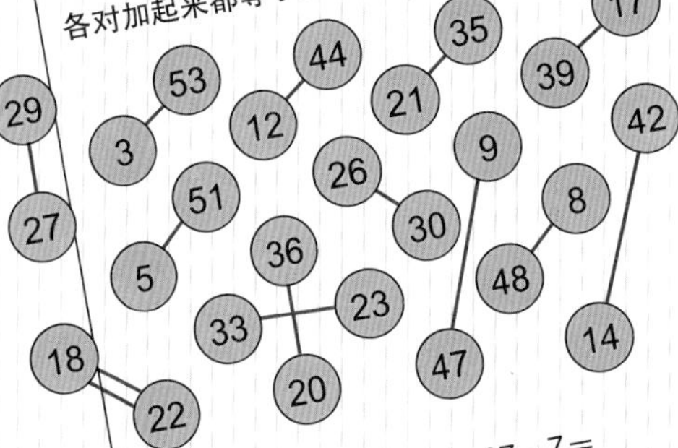

50. 3。$3^2 \times 3 = 27$；$27 - 7 = 20$；$20 \times 5 = 100$；100的平方根＝10；$10 - 6 = 4$；4是第一个大于1的平方数。转至第3题。

51. 将砝码放在天平右边第六个位置。所以：$2 \times 6 + 2 \times 4 + 2 \times 10 = 3 \times 9 + 5 \times 2 + 3 \times 1$。$6 \times 2 = 12$。转至第12题。

52. C项不同。此项中，内环的一组数字181018478959按照逆时针方向排列，但在其他选项中则是按顺时针方向排列的。转至第48题。密码7。

53. 如下图所示，在最小部分内有7个数字。$7 + 14 = 21$。转至第21题。

54. D项不同。这4项均为旋转角度不同的同一图形，但在D项中，三角形的方向错了。转至第14题。

55. C项不同。其他选项按照顺时针方向看，都有一个乘法算式。例如，在A项中，7×6=42。转至第52题。

56. A项不同。其他选项的第1行数字减去第2、3、4、5行的数字后，均等于1。但在A项中，则等于0。转至第37题。

57. 7。❖=10；◆=5；★=2。2×10−3×5+1×2=7。转至第7题。

58. D项不同。其他选项都是相关的同一图形，而在D项中画圈处有异，如下图所示。转至第32题。

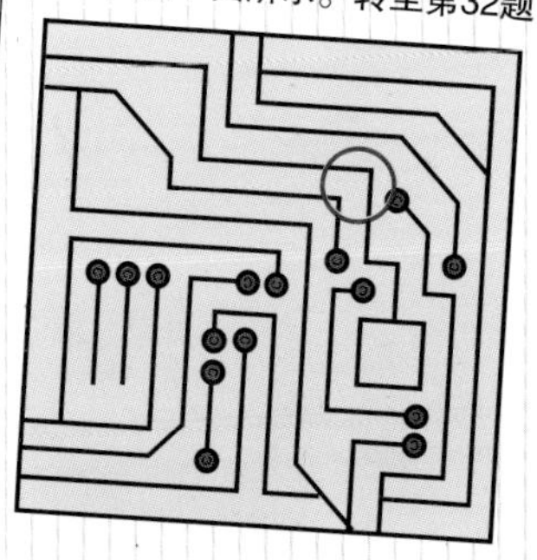

59. B项不同。其他三角形内所有数字之和都为148，只有B项是150。转至第6题。

60. 如图所示，中间的数字是5。5+19=24。转至第24题。

4	9	7	5	8
5	8	4	9	7
9	7	5	8	4
8	4	9	7	5
7	5	8	4	9

第三节的解题顺序（括号内的数字为密码）

5→34→38→2→56→37→10→49→40→39（3）→17→28→50→3→45（8）→23→26→51→12（2）→54→14→43→1→29→22→46→60→24（3）→53→21→4（4）→16→55→52（7）→48（5）→30（9）→59→6→8→35→57→7→13→11→18（2）→31（4）→42（6）→20（5）→44→19→47（3）→25（2）→33（6）→9→27（8）→36（2）→41→58→32→15（6）→0（“第三道密码之门”页）

第三节的最后密码：43-42=1。转至终结密码之门。

ZHONGJIEM

终结密码之门

Final code gate

现在，你将与艾德里安做最后一搏了。结果是显而易见的：如果你赢了，艾德里安将被锁在属于“他”自己的一个四方块里；你失败了，被困在虚拟现实空间里的将是你自己。

或许你还想再尝试一遍……

HUMAN VS COMPUTER

MAZHIMEN

总密码

答案：158

为了获得这个总的密码，你必须将三节的最后密码相乘，然后加上第二节的最后密码，再减去第一节和第三节的最后密码。这个总密码将是你通往终结密码之门所必须使用的数字。

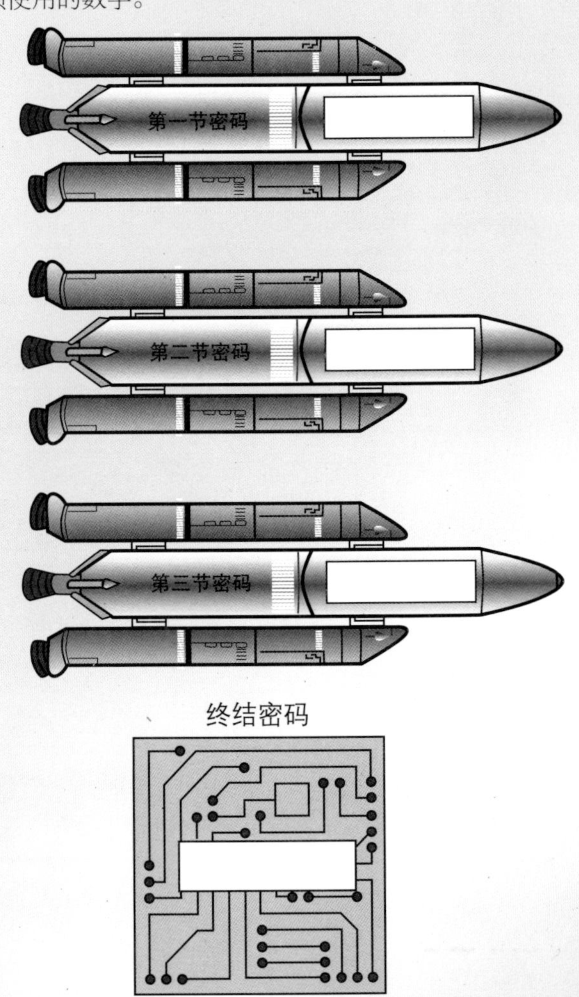

最终指令

答案：158

请根据以下条件求出这样一个数字：将该数字加上从第一节至第三节的总密码，再平方，然后除以第一节最后密码的2倍（假设为X），再把X上各个位数上的数字拆开后相加，所得之和正好是第二节最后密码的2倍（假设为Y）。如果你用Y的10倍减去X，再除以第二和第三节的最后密码之和，会等于6。

总密码

$2\times5\times1=10$；$10+5=15$；$15-2-1=12$。

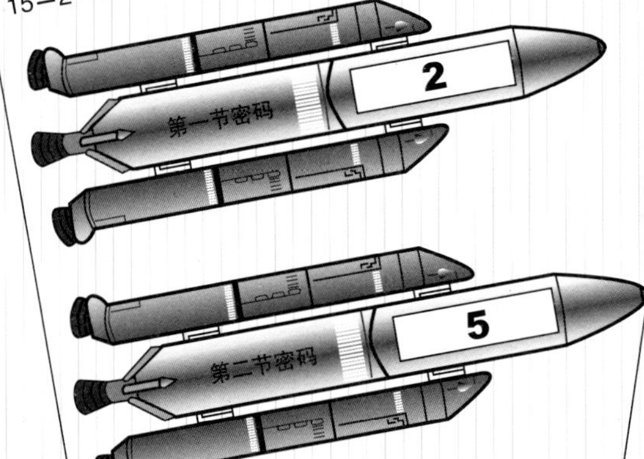

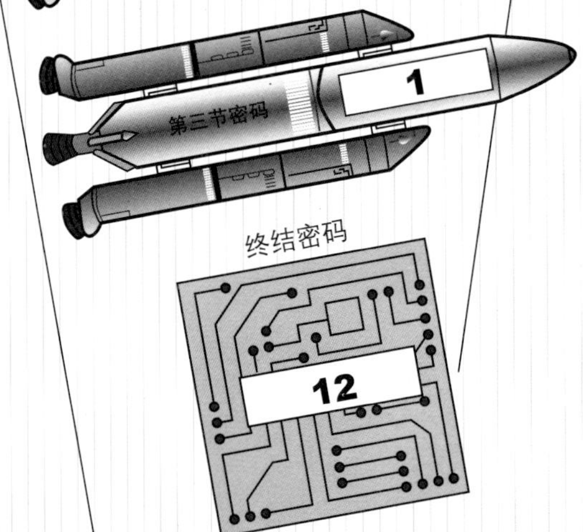

最终指令

4。$12+4=16$；$16^2=256$；$256\div(2\times2)=64$；$6+4=10=5\times2$；$10\times10-64=36$；$36\div(5+1)=6$。

如果你得出了正确答案，恭喜你！你已经成功地逃离了虚拟现实空间，恢复了对自己身体的控制，而艾德里安则被锁在属于“他”自己的一个四方块里。但是，如果做错了，你就会被困在虚拟现实空间里。

你是做得非常棒，还是只是碰巧？

彩色余秋雨

国内第一套图片版余秋雨文集

“文化大散文”精美典藏本全新面世

余秋雨 著

内容因新编而焕然
思想因积淀而丰盈
文采因浓缩而灿烂
视觉因图像而美丽

本辑四册 每册定价：39.80元

彩色人文历史系列

COLOURFUL HUMANISTIC HISTORY

第一辑 本辑四册 每册定价：35.00元

“这是资讯时代真正的视觉阅读！”

花最少的时间

浏览最精彩的历史，

获致最震撼的心灵感应

第二辑 本辑四册 每册定价：35.00元

专门提供给非专业、

非学术界人士阅读的感性历史

演绎人类数千年

生存状态的惊奇画廊

第三辑 本辑四册 每册定价：35.00元

欧洲原版引进，

国内畅销经典

希望出版社 出版

毛绒绒的逻辑 = 令人捧腹的哈哈真理　　本册定价：20.00元

文学大师视野中的命运

斯蒂芬·茨威格纪实作品系列

一个孤独的英雄率领一帮乌合之众，一往无前地进入一个万劫不复之地，完成了人类第一次环球航行。

这是七个最蹊跷、最具有宿命况味的历史“瞬间”：“一扇小门”葬送了东罗马帝国，一个小人物在一秒钟内决定了拿破仑的命运……

一个“苍蝇与大象之间的战争”的故事，一部“为失败的事业而战斗”者的泣血传记。宽容的思想最终挽救了个人的渺小。

她是千娇百媚的奥地利公主，她是风华绝代的洛可可王后，她是18世纪的精致花朵。她是断头台上的玛丽·安托瓦内特。